María Jos... ...argas

Las claves del
DELE A2/B1
para escolares

MW00331741

Las claves del DELE A2/B1 para escolares

Autores
María José Martínez, Daniel Sánchez, María Vargas

Asesor pedagógico
Roberto Castón

Coordinación editorial y redacción
Roberto Castón

Diseño gráfico
Forabord (interior), Temabcn (cubierta)

Maquetación
Lander Telletxea

Audiciones
Berta Bernal, Javier Bernal, Ada Bernaus, Celina Bordino, Iñaki Calvo, Olatz Larrea, Joel León, Raúl López, Yoram Malka, Xavier Miralles, Carmen Mora, Núria Murillo, Javier Príncep, Paco Riera, Sergio Troitiño

© **Fotografías:** **p. 14** Dreamstime.com/Olga Bogatyrenko / Jenkedco /Leslie Banks / Photographerlondon / Arenacreative / Antoniodiaz / Lopolo; **p. 18** Fotolia.com/kalypsoo / LaCozza / caspy; **p. 25** Dreamstime.com/Vivairina / Ron Lima / Chris Van Lennep / Monkey Business Images / Michal Bednarek, Fotolia.com/BEAUTYofLIFE / Stocksnapper, Dreamstime.com/ Stratum / Richard Thomas, Fotolia.com/srki66 / elenarostunova / Africa Studio / peterkocherga; **p. 39** Fotolia.com/DURIS Guillaume. **p. 48** Dreamstime.com/Antonio Guillem / Iakov Filimonov / Rido / Stephen Coburn / Furtaev / Sanja Baljkas / Canettistock; **p. 50** Dreamstime.com/ Denys Bogdanov / Saša Prudkov; **p. 51** Dreamstime.com /Pavalache Stelian; **p. 54** Dreamstime.com/Michael Flippo / Dmitry Ersler / Sebastian Czapnik / Lafotografica / Meunierd / Tamás Kárpáti / Arnel Manalang / Gabivali, Fotolia.com/ auremar, Dreamstime.com/ Victor_Tongdee / Per Olsson/ Marsia16 / Brett Critchley; **p. 59** Dreamstime.com/Believeinme; **p. 60** Dreamstime.com/Roman Nazarov. **p. 62** Dreamstime.com/Jose Manuel Gelpi Diaz / Syda Productions, Fotolia.com/pololia / Piotr Wawrzyniuk / Eléonore H / creative studio /corbis_infinite; **p. 64** Istockphotos.com/vitaliymateha; **p. 65** Istockphotos.com/Latsalomao / laflor, Dreamstime.com/Cosmin Iftode; **p. 68** Fotolia.com/Halfpoint / davis, Dreamstime.com/Bruno Rosa, Istockphotos.com/Jitalia17, Fotolia.com/Luis Echeverri Urrea / Pitcher / rubberball, Dreamstime.com/Wellphotos, Fotolia.com/SolisImages, Dreamstime.com/Guillermain / Pedro Tavares / Aleksandr Frolov / Dellicour Martin; **p. 73** Istockphotos.com/Christopher Futcher, Dreamstime.com/Juan Carlos Zamora. **p. 76** Dreamstime.com/Pavel Losevsky, Fotolia.com/AUFORT Jérome / Glamy / Ekaterina Planina, Dreamstime.com/Vinicius Tupinamba, Fotolia. com/michaeljung / vitaliymateha; **p. 78** Fotolia.com / ajr_images, Istockphotos.com/TARIK KIZILKAYA; **p. 79** Istockphotos.com/RoBeDeRo, Wikipedia.com; **p. 81** Dreamstime.com/ Leremy; **p. 82** Dreamstime.com/room_the_agency, Fotolia.com/tenkende / Rozmarina, Dreamstime.com/Saniphoto, Fotolia.com/QQ7 / Lsantilli / werbeantrieb / Pakhnyushchyy / blackday; **p. 86** Istockphotos.com/elenaleonova; **p. 87** Dreamstime.com/Monkey Business Images. **p. 90** Dreamstime.com/Michal Bednarek, Fotolia.com/DragonImages, Istockphotos. com/Juanmonino, Fotolia.com/Jacques PALUT, Dreamstime.com/Studio Dream, Fotolia.com/hitdelight, Istockphotos.com/Christopher Futcher; **p. 92** Istockphotos.com/Susan Chiang, Dreamstime.com/Monkey Business Images; **p. 93** Dreamstime.com/ Jan Sommer, Gettyimages.com/Pepe Franco; **p. 96** Fotolia.com/Yuri Bizgaimer / BillionPhotos.com / Rawpixel. com / Tiler84 /makou / aleksandarfilip, Istockphotos.com/gaiamoments, Dreamstime.com/Alfonsodetomas / Rafael Ben-ari / Photogolfer, Istockphotos.com/fergregory, Dreamstime. com/Syda Productions, Fotolia.com/Petr Malyshev, Istockphotos.com/AndrewJShearer; **p. 101** Fotolia.com/indigolotos; **p. 102** Dreamstime.com/Annatamila. **p. 104** Fotolia.com/asife / DragonImages /ANADEL, Monkey Business, Dreamstime.com/Alberto Hidalgo, Fotolia.com/Rido / PICTURETIME; **p. 106** Fotolia.com/hakangursel / Ifrabanedo; **p. 107** Commonswiki. com/Aramburu, Dreamstime.com/Scanrail; **p. 110** Fotolia.com/ kmit / bdstudio, Dreamstime.com/wabeno, Fotolia.com/bdstudio, Dreamstime.com/wabeno, Fotolia.com/dashadima / Voyagerix / Olena Bloshchynska / Veniamin Kraskov / thodonal /drubig-photo; **p. 115** Istockphotos.com/gilaxia; **p. 116** Dreamstime.com/Cylonphoto. **p. 118** Fotolia.com/andreaxt, Dreamstime.com/Gustavo Andrade, Fotolia.com/contadora1999, Dreamstime.com/Gstockstudio1 / Wavebreakmedia Ltd / Pavel Losevsky / Lindsayhelms; **p. 120** Dreamstime.com/ Pixattitude / Ian Allenden; **p. 121** Dreamstime.com/Boggy; **p. 124** Dreamstime.com/Soloway / Artemfurman, Istockphotos.com/Prebranac, Fotolia.com/Constantinos Moraiti / Igrik / fisherman3d / focus finder, Dreamstime.com/Americanspirit / Sean Pavone, Istockphotos.com/dventtr, Fotolia.com/vladakela / pixs4u / pixelliebe / igorphoto50 / alain wacquier; **p. 129** Fotolia.com/.shock; **p. 130** Fotolia.com/Monkey Business

Queda prohibida cualquier forma de reproducción, distribución, comunicación pública y transformación de esta obra sin contar con autorización de los titulares de propiedad intelectual. La infracción de los derechos mencionados puede ser constitutiva de delito contra la propiedad intelectual (arts. 270 y ss. Código Penal).

© Los autores y Difusión, Centro de Investigación y Publicaciones de Idiomas, S. L., Barcelona 2015

ISBN: 978-84-16273-77-5
Reimpresión: mayo 2016
Impreso en España por Novoprint

difusión
Centro de
Investigación y
Publicaciones
de Idiomas, S. L.

C/ Trafalgar, 10, entlo. 1ª
08010 Barcelona
Tel (+34) 93 268 03 00
Fax (+34) 93 310 33 40
editorial@difusion.com
www.difusion.com

INTRODUCCIÓN

Los Diplomas de Español como Lengua Extranjera (DELE) son títulos oficiales que acreditan el grado de dominio de la lengua española. Son reconocidos internacionalmente y fueron creados en 1988 para dar más relieve a la cultura en español en el exterior. El nivel A2/B1 para escolares, al que dedicamos este libro, se ha incorporado en 2015. Se trata de un examen de doble salida que puede llevar a la obtención de un diploma de nivel A2 o de nivel B1 dependiendo de los resultados obtenidos por los candidatos.

 ## LAS GUÍAS DE RECURSOS

Se trata de tres inventarios: léxico, comunicativo y gramatical. En ellos se especifica lo que debería repasar el candidato de cada uno de los apartados (son contenidos correspondientes a un nivel A1). A continuación, se detalla lo que se debería reforzar en cada uno de los apartados para preparar el examen (se trata de contenidos correspondientes a los niveles A2 y B1).

 ## LAS CLAVES

Esta sección está compuesta por una tabla en la que se describen las tareas de las cuatro pruebas (Comprensión de lectura, Comprensión auditiva, Expresión e interacción escritas, y Expresión e interacción orales), un ejemplo de cada una de las pruebas, sus soluciones y las explicación de las mismas y, finalmente, las claves: información útil para cada una de las tareas que ayudará al candidato a superar el examen.

 ## LOS EXÁMENES

En el libro se incluyen seis modelos de examen iguales a los que el candidato se encontrará en la convocatoria oficial. En cada uno de ellos se trabajan las cuatro pruebas mencionadas anteriormente.

 ## EL MP3 DESCARGABLE

Se pueden descargar gratuitamente las pistas que conforman los documentos sonoros correspondientes a **las claves** y a **los exámenes**. De este modo, el candidato podrá entrenar cuantas veces desee sus habilidades de comprensión auditiva, tanto individualmente como en clase. Página web de descarga: **www.difusion.com/claves_a2b1_escolares_zip**.

Solo nos queda desear a todos los que usen estas Claves para el DELE A2/B1 para escolares que les sirvan para superar este nivel de los diplomas de español.

¡Buena suerte!

ÍNDICE

Audios, soluciones y transcripciones en:
www.difusion.com/claves_a2b1_escolares_zip

GUÍA DE
RECURSOS

Recursos léxicos

Lo que debes repasar (A1)

Gentilicios	*Elsa es amiga mía venezolana.*
Números	*Mi bisabuelo cumple noventa y cinco años.*
Días de la semana	*Doy clases de guitarra los lunes y los miércoles.*
Meses y estaciones del año	*El curso empieza en septiembre y termina en junio.*
La hora	*Nuestro avión llega a las siete y media de la mañana.*
La edad	*¿Cuántos años tienen tus hermanos?*
Condiciones atmosféricas	*Es mejor que no salgas a la calle: hace mucho viento y parece que va a llover.*
Expresiones de lugar	*El libro que buscas está en el estante de arriba, a la derecha.*
Expresiones de tiempo	*El examen de Italiano es mañana por la mañana.*
Adjetivos de opinión	*Se trata de una historia preciosa y muy divertida.*
Adverbios de valoración	*La peli está muy bien, pero el libro me gustó más.*
Estados de las cosas	*Tengo la memoria del móvil llena.*
Cosas de la casa	*En mi habitación hay una cama, un armario, un escritorio, una silla y una mesita de noche.*
Tiendas y compras	*Ese supermercado es muy caro; si quieres comprar fruta a buen precio te aconsejo que vayas a la frutería.*
Ropa y complementos	*El chico lleva vaqueros, una camiseta de manga corta, una gorra, unas gafas de sol y zapatillas de deporte.*
El cuerpo humano	*Me duele la cabeza, la garganta y el pecho. Creo que tengo gripe.*

Lo que debes reforzar (A2/B1)

PERSONAS	
Aspecto físico	*Mi tía es alta y delgada; es pelirroja y tiene el pelo rizado.*
El carácter	*El profesor es bastante simpático, pero se enfada si hablamos mucho en clase.*
Estados de ánimo	*Estoy muy nerviosa porque mañana tengo un examen muy importante.*
El estado civil	*Mi cantante favorito está casado con una actriz muy guapa.*
La familia	*Tengo cinco primos, pero yo soy hija única.*
Las relaciones sociales	*Cuando termino los deberes, salgo con mi pandilla a dar una vuelta.*
La salud	*Para tener buena salud es necesario comer bien y llevar un estilo de vida equilibrado.*
Actividades cotidianas	*Antes de ir al instituto me ducho y desayuno leche con cereales.*
Biografías	*Mi padre nació en 1965 en Madrid, pero su familia se trasladó a Palencia cuando él tenía seis años.*
Anécdotas	*Una vez me perdí en la playa y no sabía dónde estaban mis padres.*
Expresiones para los gustos e intereses	*Me encanta la ciencia ficción, pero también me gusta mucho la fotografía y los videojuegos.*
Expresiones para dar y recibir consejos	*Si te sientes mal, deberías ir al médico; automedicarse no es bueno.*
Expresiones de intención y de futuro	*El año que viene voy a estudiar Biología; de mayor quiero trabajar para conservar la naturaleza.*

ALIMENTACIÓN	
Comidas y bebidas	En la fiesta había de todo: patatas fritas, refrescos, bocadillos y una torta de chocolate.
Expresiones de cocina básica	Primero tienes que lavar y cortar las verduras, y luego echarlas en el aceite.
En el bar / restaurante	● ¿Qué os pongo? ○ Una ensalada y un refresco de cola, gracias.
Gastronomía	En México probé las tortillas, los tamales y los tacos,

ENTORNO Y VIAJES	
Transportes	El metro es rápido y barato, por eso lo prefiero al taxi.
Verbos de movimiento	Mañana vamos a visitar una exposición; cogeremos el autobús temprano para llegar a tiempo.
La ciudad, el pueblo, el barrio	En mi pueblo no hay muchas iniciativas para los jóvenes; en la ciudad, sin embargo, sí.
Las vacaciones	El año pasado estuve de vacaciones en España y me lo pasé muy bien.
La política	Yo creo que la política no piensa mucho en los jóvenes, la verdad.
El medio ambiente	A veces los parques están sucios y en el aire se respira la contaminación.
La sociedad	Creo que vivimos en una sociedad en la que la imagen es muy importante.
Servicios públicos	Ayer hubo un accidente en mi calle; como fue muy grave, llegaron varias ambulancias y coches de la policía.

ESTUDIOS Y TRABAJO	
La clase	En mi clase tenemos pizarra digital interactiva, pero no siempre tenemos internet.
El colegio / instituto	Mi instituto es muy grande y tiene dos gimnasios y un laboratorio de ciencias.
Los estudios	Qué hay que estudiar para mañana?
Las profesiones	Me gustaría ser futbolista o médico deportivo, porque me encantan los deportes.
Lugares de trabajo	Mi madre trabaja en una oficina y mi padre, en un centro comercial.

CULTURA Y OCIO	
Actividades de tiempo libre	En mi tiempo libre me gusta tocar la guitarra y escuchar música.
Los deportes	Practico voleibol y me entreno dos veces a la semana, los martes y los jueves, de cinco a siete de la tarde.
La literatura	Leo los libros que me mandan en clase, pero también leo otras cosas, como, por ejemplo, novelas de misterio.
Actividades culturales	El mes pasado fui al concierto de mi grupo favorito, ¡y conseguí un autógrafo!
Los medios de comunicación	No veo mucho la tele; solo me gustan algunos programas que ponen después de cenar.

NUEVAS TECNOLOGÍAS	
Dispositivos	Por mi cumpleaños no sé si pedir que me regalen un móvil nuevo, una tableta o un ordenador.
Internet	Si no encuentras algo en la tienda, lo puedes comprar por internet.
Redes sociales	En las redes sociales hemos conocido a unos chicos españoles con los que chateamos en español.

Recursos comunicativos

Lo que debes repasar (A1)

Dar y pedir información personal básica	*Me llamo Jonas y soy sueco, ¿cómo te llamas?*
Expresar y pedir opiniones sobre temas generales	*Creo que esta película es muy interesante, ¿y tú?*
Expresar acuerdo y desacuerdo ante ideas u opiniones de otros	● *A mí me gusta mucho el cine europeo, ¿y a ti?* ○ *A mí, no. Prefiero las películas de acción norteamericanas.*
Expresar posibilidad y formular hipótesis	● *¿Va a venir Luis a la fiesta?* ○ *Es posible pero no lo creo. Estará estudiando para el examen de mañana.*
Preguntar si se conoce algo, expresar conocimiento o expresar desconocimiento	● *¿Sabes cómo se dice mariposa en italiano?* ○ *No, no lo sé.*
Hablar sobre gustos y gustos y deseos	*Me gusta mucho la comida japonesa.* *Quiero ir al cine esta tarde.* *Prefiero la camisa azul.*
Hablar sobre planes futuros	● *¿Vas a la fiesta de Jaime mañana?* ○ *No, mañana por la noche voy al teatro con Pedro.*
Desenvolverse en sociedad (saludar, responder a un saludo, presentar a alguien)	● *Hola chico, ¿cómo estás?* ○ *Bien, gracias, ¿y usted?*

Lo que debes reforzar (A2/B1)

ESTABLECER COMUNICACIÓN CON OTROS Y MANTENER UNA CONVERSACIÓN	
Pedir la opinión a otras personas	*¿Qué piensas del nuevo profesor de Mates?*
Posicionarse a favor o en contra de un tema	*Estoy a favor de las nuevas normas de la escuela.*
Dar una opinión personal	*En mi opinión, lo mejor para aprender una lengua es practicar con hablantes nativos.*
Expresar acuerdo y desacuerdo respecto a las ideas de otros	● *Creo que no es bueno comer mucho a la hora de cenar.* ○ *Sí, yo también pienso lo mismo. /* *No es cierto que sea malo cenar mucho.*
Mostrar seguridad respecto a algo	*Estoy completamente seguro de que el examen te irá bien.*
Hablar de la necesidad u obligación de hacer algo	*Hay algunas cosas que debes saber.*
Mostrar escepticismo	*Dudo que Marta llegue a tiempo para coger el tren.*

DAR Y PEDIR INFORMACIÓN	
Identificar	● *¿Quién es Inés?* ○ *La (chica) de rojo que está hablando con Marcos.*
Pedir información	*¿Desde cuándo estudias en este instituto?* *¿Sabes si mañana abren las tiendas?*
Dar información	*He comprado pescado para preparar una cena especial.*

EXPRESAR SENTIMIENTOS

Es una pena que llueva.

Me alegro de que hayas podido acompañarme al médico.

Lo paso muy bien cuando estoy con Luisa.

Me aburre que siempre hables sobre política.

Me molesta que no me hayas llamado en toda la semana.

Me sorprende que nuestro equipo haya perdido el partido.

INFLUIR EN OTROS

Dar una orden	*Ana, siéntate.*
Pedir ayuda, un favor u objetos a otras personas	*¿Te importaría ayudarme a hacer el trabajo de Historia?*
Proponer una actividad o invitar a alguien a hacer algo	*¿Qué te parece si esta noche salimos a cenar?*
Dar y pedir permiso a alguien	● *¿Se puede usar bolígrafo de color verde en el examen?* ○ *Por supuesto.*
Aconsejar algo a alguien	*Tendrías que hacer más deporte.*

REACCIONAR ANTE UN RELATO O CONFIRMAR ALGO QUE HEMOS DICHO

Mostrar interés ante lo que otros explican	● *Ayer vi a Juan besando a Laura en el parque.* ○ *¿De verdad?*
Confirmar que se entiende lo que estamos diciendo	*Tienes que coger esta pieza y ponerla en el agujero redondo, ¿entiendes?*

DESENVOLVERSE EN SOCIEDAD

Agradecer	*Os agradezco que hayáis venido a la fiesta.*
Felicitar	*Felicidades por tus notas.*
Enviar saludos y recuerdos	*Hasta luego, Marta. Saluda a Pepa de mi parte.*

Recursos gramaticales

LO QUE DEBES REPASAR (A1)

Los pronombres personales de sujeto	*Yo soy de Barcelona, ¿y tú?*
El artículo determinado	*La profesora de Música es muy buena.*
El artículo indeterminado	*En mi escuela hay una biblioteca.*
Los posesivos delante de sustantivos	*Mi padre es francés y mi madre italiana.*
El género y el número de los sustantivos	*En mi clase somos diez niños y doce niñas.*
El género y el número de los adjetivos	*Mi madre es muy alta y tiene los ojos azules.*
El presente de indicativo de los verbos regulares en –ar, –er, –ir	*Mi hermano y yo estudiamos español.*
El presente de indicativo de los verbos reflexivos	*Normalmente me levanto a las 8 de la mañana.*
El presente de indicativo de ser, estar, ir, tener	*Mi mejor amigo es muy inteligente, tiene el pelo rubio y está un poco gordito, por eso va al gimnasio.*
El presente de indicativo de querer y poder	*Para mi cumpleaños quiero un videojuego.* *No puede salir porque mañana tiene un examen.*
Hay	*En mi ciudad hay una piscina cubierta y dos cines.*
Los interrogativos	*¿De dónde eres?* *¿Cuál es tu asignatura favorita?*
Los demostrativos	*Este regalo es para mi madre.* *Esas chicas son mis amigas Ana y Patricia.*
El pronombre relativo que	*Cádiz es una ciudad que está en el sur de España.*
Los pronombres de objeto directo	● *¿Tienes el libro de Historia?* ○ *No, no lo tengo aquí.*
Los pronombres de objeto indirecto	*A mí me gusta el cine, pero a mi hermano le gustan los videojuegos.*
Los cuantificadores un poco, bastante, mucho, muy	*En mi escuela hay muchos estudiantes, y profesores bastante buenos.*
Adverbios y locuciones adverbiales de lugar	*El colegio está lejos de mi casa y voy en autobús. La parada del bus está enfrente de mi casa.*
Las preposiciones	
a	*Quiero ir a Barcelona.*
de	*Ahora estamos de vacaciones.*
con	*A mí me gusta jugar con mis amigos.*
en	*Yo voy a la escuela en autobús.*
por	*Quiero viajar por Europa.*
para	*Estudio español para viajar a Hispanoamérica con mi familia.*

LO QUE DEBES REFORZAR (A2/B1 ESCOLAR)

LOS POSESIVOS	
Después de sustantivo	*Carolina es una amiga mía.*
Con artículo o solos	● *¿Estos son mis libros o los tuyos?* ○ *Los míos.*

LOS TIEMPOS DE INDICATIVO

El presente de indicativo de los verbos irregulares	*Doy clases particulares a unos niños de primaria y les corrijo las redacciones.*
El pretérito perfecto	*Ya he comprado el libro para la clase de Literatura.*
El pretérito indefinido	*Ayer fui al cine con mis amigos de clase.*
El pretérito imperfecto	*Antes iba casi todos los días a jugar al fútbol, ahora solo voy dos veces por semana.*
El pretérito pluscuamperfecto	*Ayer, cuando llegué a clase, ya habían comenzado a hacer el examen.*
El futuro imperfecto	*No sé si iré al cine con vosotros. Es que tengo que estudiar.*
El condicional simple	*¿Podría hablar con usted un momento, por favor?*

HA HABIDO / HUBO / HABÍA

Ha habido cortes de tráfico en diferentes puntos de la ciudad debido a las fuertes nevadas.

Hubo cambios en la programación del festival por eso no pudimos ver la película que queríamos.

No encontramos a Xavi en la plaza porque había muchísima gente y fue imposible localizarle.

ESTAR + GERUNDIO

En presente	*Ahora no puedo salir, estoy haciendo un trabajo para la clase de Geografía.*
En pasado	*Esta mañana he estado cocinando con mi madre.*
	Ayer estuve jugando al baloncesto desde las cinco hasta las ocho.
	Estábamos viendo una película en clase y, de repente, se estropeó el proyector.

EL SUBJUNTIVO

El presente de subjuntivo	*Te recomiendo que leas este cómic. A mí me ha encantado.*
El pretérito perfecto de subjuntivo	*No creo que Ángela haya aprobado el examen. Estuvo enferma y no pudo asistir a clase.*

EL IMPERATIVO

Afirmativo	*Ven a mi casa a las seis, ¿vale? Y llama a Pablo.*
Negativo	*No habléis durante el examen, por favor.*

Recursos gramaticales

PERÍFRASIS VERBALES

Hay que **+ infinitivo**	*Para estar en forma hay que hacer deporte.*
Tener que **+ infinitivo**	*Tengo que estudiar muchísimo para los exámenes finales.*
Deber **+ infinitivo**	*Si quieres aprender a tocar el piano, debes practicar muchas horas.*
Ir a **+ infinitivo**	*El próximo martes vamos a ir al Museo de Ciencias Naturales con la escuela.*
Soler **+ infinitivo**	*Yo suelo acostarme a las diez de la noche, pero los sábados me quedo despierto hasta muy tarde.*
Ponerse a **+ infinitivo**	*Por las tardes me pongo a estudiar a las seis, si no tengo actividades extraescolares.*
Estar a punto de **+ infinitivo**	*Estoy a punto de terminar el bachillerato, me queda un año.*
Acabar de **+ infinitivo**	*Acabo de terminar los deberes, ¿quieres que juguemos a algo?*
Seguir / Continuar **+ infinitivo**	*Sigo estudiando chino, aunque me resulta difícil escribir, y también la pronunciación.*

PRONOMBRES

Objeto directo	*Las zapatillas de deporte las compré en esta tienda.*
Objeto indirecto	● *¿Le has dado el trabajo a la profesora?* ○ *Sí, ya se lo he dado.*
Demostrativos	*Eso no lo dije yo, lo dijiste tú.*

MARCADORES TEMPORALES

Este año he ido de vacaciones a la playa, pero el año pasado estuve en un campamento en la montaña.

CUANTIFICADORES

No vino casi nadie al ensayo, solo cinco de los quince que somos.

INTENSIFICADORES

El profesor de Física es realmente fantástico.

FRASES SUBORDINADAS ADVERBIALES

Temporales	*Cuando llegues a casa, llámame.*
Causales	*Estudio bastante últimamente porque quiero sacar buenas notas.* *Como no nos callábamos, el profesor nos puso un examen sorpresa.*
Consecutivas	*Mi hermana está enferma, por eso no ha venido hoy a clase.*
Finales	*Aquí tienes el dinero para que te compres lo que quieras.*
Condicionales	*Si me dejan mis padres, quiero hacer la fiesta de mi cumpleaños en casa.*
Concesivas	*Aunque no me siento bien, voy a ir a clase.*

LAS CLAVES

LAS CLAVES DE LA TAREA 1

EN QUÉ CONSISTE	FORMATO	TIPO DE TEXTO
Características generales de la tarea que vas a realizar.	*Cómo se presenta el ejercicio y lo que tienes que hacer.*	*Tipos de texto que puedes encontrar en esta tarea.*
En esta prueba tienes que extraer la idea principal e identificar información específica en textos breves.	Tienes que leer nueve textos breves y relacionar seis de ellos con las seis declaraciones o enunciados que les corresponden.	Textos breves relacionados con los ámbitos personal, público, profesional y académico (anuncios publicitarios, carteleras, mensajes personales y avisos).

Instrucciones

Lee los seis textos en los que unos estudiantes hablan de profesiones que les gustan o en las que querrían trabajar en un futuro y los nueve textos que describen los diferentes oficios. Relaciona las personas (1-6) con los textos que hablan sobre trabajo. HAY TRES TEXTOS QUE NO DEBES RELACIONAR.

Marca las opciones seleccionadas en la **Hoja de respuestas.**

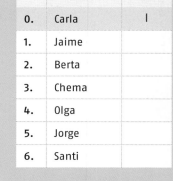

	Persona	Textos
0.	Carla	I
1.	Jaime	
2.	Berta	
3.	Chema	
4.	Olga	
5.	Jorge	
6.	Santi	

0. CARLA:
Siempre he querido trabajar en algo relacionado con la aviación, pero el problema es que me da pánico volar. Sin embargo, creo que podría trabajar con los aviones desde el aeropuerto.

1. JAIME:
A mí, de mayor, me gustaría trabajar en algo relacionado con el deporte. Lo que más me gusta hacer es practicar cualquier tipo de actividad física y vivir de ello sería fantástico.

2. BERTA:
A mí me gustan mucho las profesiones relacionadas con la moda. No creo que nunca llegue a ser modelo, pero podría trabajar en algo relacionado con ese mundillo.

3. CHEMA:
Yo lo tengo bastante claro, lo que me gusta son los ordenadores y los videojuegos. En el futuro, me gustaría aprender a crear mis propios juegos.

4. OLGA:
Quiero tener alguna profesión que se centre en ayudar a la gente. Mis padres trabajan en la sanidad pública y, en mi opinión, tienen profesiones muy gratificantes.

5. JORGE:
Yo lo que quiero es estar en contacto con la gente, trabajar de comercial o ser el responsable de tratar con los clientes de un negocio. Tengo facilidad para las relaciones personales.

6. SANTI:
Mi padre es camionero y, aunque su trabajo es bastante duro, ha recorrido casi toda Europa y conoce gente en todas partes. Creo que debe ser divertido e interesante.

Texto A

INFORMÁTICA

¿Te gusta la informática? No te lo pienses más y apúntate al Curso de Técnico en Informática. Aprenderás a programar con los lenguajes más avanzados y podrás crear tus propias aplicaciones y juegos.

Texto B

ENFERMERÍA

Entra en la Escuela de Enfermería y aprende una de las profesiones más demandadas en Europa. Tras este curso, con prácticas en los mejores hospitales de la ciudad, conseguirás un título oficial que te permitirá ejercer en cualquier país europeo.

Texto C

MECÁNICA DEL AUTOMÓVIL

Ven a nuestra academia e infórmate sobre los cursos de mecánica. Curso teórico-práctico realizado en la ciudad de Zaragoza. Duración de 6 a 8 meses, cuatro clases semanales en horario de mañana o tarde. Diploma final con validez profesional.

Texto D

DISEÑO

Ven a Aulamoda y convierte tu afición en tu profesión. La figura del diseñador es la más relevante en el proceso de creación de una colección. Para ello aprenderás a investigar, analizar tendencias, elegir materiales y coordinar al equipo para llegar a presentar tu propia colección.

Texto E

CARPINTERÍA

Ciclo formativo de Carpintería para jóvenes. Aprenderás a fabricar piezas de carpintería y muebles, realizando los procesos de mecanizado, montaje y acabado. Disponemos de talleres en las principales capitales de provincia españolas.

Texto F

TRANSPORTE

Consigue el carnet C en pocas semanas en la Autoescuela Kilómetro Cero. Lo harás de manera sencilla, rápida y económica y podrás empezar el curso de transportista de mercancías, necesario también para poder trabajar con nosotros.

Texto G

RELACIONES PÚBLICAS

Consigue el título de Graduado en Publicidad y Relaciones Públicas por la Universidad de Barcelona. Conviértete en un experto en comunicación empresarial y realiza prácticas en empresas desde el primer año.

Texto H

ENTRENADOR PERSONAL

Ante la creciente demanda de entrenadores personales titulados hacen falta apasionados por el deporte como tú. En unas semanas dominarás la base científica de la preparación física personal y podrás evaluar la forma física de cualquier persona.

Texto I

Ejemplo

CONTROLADOR AÉREO

Hazte controlador aéreo: los sueldos son muy altos y los horarios flexibles. En MasterT te preparamos para superar todas las pruebas de acceso. Además, con tu matrícula, te ofrecemos un curso de inglés avanzado, indispensable para esta profesión.

Texto J

AUXILIAR DE VUELO

Ven a la Escuela Superior de Pilotos Comerciales y obtén el título de Auxiliar de vuelo, una profesión en auge. Trabajamos en colaboración con las más prestigiosas compañías aéreas.

EXPLICACIÓN DE LAS RESPUESTAS

o. La respuesta es I, controlador aéreo, porque Carla explica que quiere trabajar en algo relacionado con la aviación pero que le da pánico volar.

1. Jaime quiere trabajar en algo relacionado con el deporte y la única opción de respuesta que habla de una profesión relacionada con la actividad física es la H, entrenador personal.

2. Berta explica que le gustaría trabajar en el mundo de la moda, dice que no será modelo y la profesión más relacionada con ese campo de las opciones ofrecidas es la de diseñadora, D.

3. Chema quiere trabajar con ordenadores, por eso la opción A es la que más se ajusta a sus preferencias ya que se trata de un trabajo relacionado con la informática.

4. Olga comenta que le gustaría ayudar a la gente y explica que le gustan las profesiones que tienen sus padres, del mundo sanitario. La única opción que se ajusta a sus preferencias sería la B, enfermera.

5. Jorge habla de su necesidad de estar en contacto con la gente dentro de un negocio, la opción G (relaciones públicas), es la que más se acerca a lo que él busca ya que el texto dice que está dirigido a quien quiera convertirse en un experto en comunicación empresarial.

6. A Santi le gusta la profesión de su padre, camionero, por eso su mejor opción es la de transportista de mercancías, la F.

🔑 Haz primero una lectura rápida tanto de los textos de las personas como de los anuncios, carteleras o mensajes personales que te puedas encontrar. Marca los que puedas relacionar claramente y, en una segunda lectura, concéntrate en el resto de textos.

🔑 Piensa que muchas veces la respuesta se encuentra en algunas palabras clave, generalmente sinónimos o palabras del mismo ámbito (por ejemplo, Chema dice que le gustan los ordenadores y en el texto habla de informática y programación). Marca las palabras que consideres importantes.

🔑 Recuerda que tres textos de los que vas a leer no se tienen que relacionar con las personas y que uno de ellos ya está relacionado en el ejemplo.

🔑 En un examen de este tipo el tiempo es muy importante, piensa que deberás realizar cuatro tareas en 50 minutos así que tienes unos 10-15 minutos por tarea. Si tienes problemas con alguna de las preguntas no lo dejes en blanco, marca alguna de las opciones ya que dejarlo en blanco se considera una respuesta incorrecta.

LAS CLAVES DE LA TAREA 2

EN QUÉ CONSISTE *Características generales de la tarea que vas a realizar.*	FORMATO *Cómo se presenta el ejercicio y lo que tienes que hacer.*	TIPO DE TEXTO *Tipos de texto que puedes encontrar en esta tarea.*
En esta tarea tienes que localizar las ideas más importantes y algunas informaciones específicas en textos de extensión media.	Tienes que leer tres textos y relacionarlos en cada caso con uno de los seis enunciados o preguntas propuestos.	En esta tarea puedes encontrar textos de tipo descriptivo, narrativo o informativo (historias, anécdotas, informaciones prácticas, experiencias...) referidos a un ámbito personal o público: cartas, noticias, diarios, biografías, guías de viaje...

Instrucciones

Vas a leer tres textos de un blog literario en el que se habla de mitos presentes en antiguas civilizaciones americanas. Relaciona las preguntas (7-12) con los textos (A, B o C).

Marca las opciones seleccionas en la **Hoja de respuestas.**

	PREGUNTAS	A. MITO MAYA	B. MITO INCA	C. MITO AZTECA
7.	¿En qué mito se habla de una mala relación entre hermanos?			
8.	¿Qué mito ha sido recogido en parte por escrito en un libro de carácter sagrado?			
9.	¿En qué mito se habla de que hay diferentes grados de positividad y negatividad entre las divinidades?			
10.	¿En qué mito se dice que los hombres no fueron los primeros habitantes de la creación?			
11.	¿En qué mito hay un dios que transmite su saber a los humanos?			
12.	¿Qué mito nos habla de un dios que se ha marchado pensando en volver?			

A. MITO MAYA

Los mayas creían que el universo tenía trece niveles superiores y nueve inferiores, y que existía un conflicto o lucha entre ambos tipos de niveles. Los superiores estaban representados por las divinidades portadoras de la fertilidad, mientras que los inferiores eran los causantes de la muerte, la guerra y el hambre.

La deidad superior era Itzamna, pero existían otros dioses como Chac, Ah Mun, Xaman Ek y un dios siniestro o portador de la muerte conocido como Cizin. Parte de la información sobre la mitología maya ha llegado a través de un texto religioso escrito en tiempos coloniales y conocido como *Popol Vuh*.

B. MITO INCA

Los incas (en el Perú) adoraban a Inti, el Sol, como su antepasado. Su hermana y esposa era Mama Quilla, la Luna. Dos de los dioses supremos, Pachacámac (dios del fuego y de la tierra) y Viracocha (dios de la lluvia y el agua) son considerados hijos suyos.

A Viracocha, también se le consideraba dios creador. El primer mundo que creó era un mundo de oscuridad, poblado de gigantes. Sin embargo, eran desobedientes y les castigó enviándoles una gran inundación. Luego hizo a los humanos, a partir de la arcilla e iluminó el mundo al enviar al sol, la luna y las estrellas al firmamento, desde su morada en el lago Titicaca.

C. MITO AZTECA

Cuenta la leyenda que después de la creación del mundo todo era armonía, los humanos veneraban a los dioses con templos y sacrificios, pero esto desagradaba a Quetzalcóatl, que un día decidió compartir sus conocimientos.

Con el tiempo, consiguió prohibir los sacrificios y enseñó los humanos los conocimientos que solo poseían los dioses. Pero Tezcatlipoca, hermano de Quetzalcóatl, estaba furioso por lo que su hermano estaba haciendo, así que decidió ponerle una trampa. Disfrazado, le entregó un regalo a Quetzalcóatl: un líquido que él no conocía. Lo bebió y se embriagó. A la mañana siguiente, Quetzalcóatl, sintiéndose culpable por su comportamiento, decidió construir un barco e irse de la ciudad, pero prometiendo que algún día regresaría.

(Textos adaptados de http://mitologiaamericana.idoneos.com/)

EXPLICACIÓN DE LAS RESPUESTAS

7. La respuesta es C. Tanto en el texto B como en el texto C se habla de una relación entre hermanos. En el caso del texto B, sin embargo, se dice que estos hermanos estaban unidos en matrimonio; en cambio, en el texto C encontramos que uno de los hermanos se sentía "furioso" por el comportamiento del otro, motivo por el cual la relación entre ambos dejó de ser buena.

8. La respuesta es A. En el texto se menciona el *Popol Vuh*, un texto religioso, en el que queda recogida parte de la mitología maya. Al ser un texto religioso básico, tiene carácter sagrado para los seguidores de la religión maya. La clave de la respuesta en este caso está en los sinónimos que, aunque no son perfectos, recogen de manera equivalente la globalidad de ambos significados: texto religioso / libro de carácter sagrado.

9. La respuesta es A. En los tres textos (A, B, C) se habla de la existencia de múltiples dioses. Solo en el texto A se hace referencia a niveles y divinidades superiores e inferiores. Las divinidades de los niveles superiores se identificaban con acontecimientos positivos (la fertilidad), mientras que las divinidades de los niveles inferiores se identificaban con sucesos negativos (la muerte, la guerra y el hambre).

10. La respuesta es B. Tanto en el texto B como en el texto C se hace referencia a la creación del mundo. En el caso del texto C, sin embargo, no se menciona la existencia de seres vivos anteriores a los humanos; en cambio, en el texto B se habla de los gigantes, primeros pobladores del mundo.

11. La respuesta es C. Tanto en el texto B como en el texto C se dice que un dios dona o regala algo a los humanos (Viracocha, en el texto B, envía el sol, la luna y las estrellas), pero es en el texto C donde se habla claramente del hecho de que Quetzalcoatl decidió compartir sus conocimientos porque no le gustaba lo que hacían los hombres, es decir, construir templos y hacer sacrificios.

12. También es en el texto C donde se habla de que Quetzalcóatl sintió vergüenza por cómo se había comportado tras haber bebido el líquido que maliciosamente le había ofrecido su hermano. Se dice que ese fue el motivo por el que se fue en un barco, pero con intención de regresar (volver). De nuevo la clave está en los sinónimos.

🗝 Antes de empezar a responder es fundamental, en primer lugar, leer detenidamente las preguntas y, a continuación, hacer una primera lectura global de los tres textos. El siguiente paso será volver a leer las preguntas e identificar, en función de ellas, las ideas que nos interesan de los textos.

🗝 Puede que desconozcas el significado de algunas palabras, pero ello no tiene por qué ser un obstáculo para la comprensión global del texto. Si encuentras una palabra de la que desconoces el significado, subráyala e intenta deducir su significado por el contexto, pero no dejes que ello te bloquee en la realización de la tarea. Sigue adelante.

🗝 Es muy importante que demuestres tener un poco de flexibilidad en la comprensión e identificación de ideas, conceptos y palabras equivalentes. Los sinónimos perfectos no existen (como tampoco existen dos expresiones que quieran decir exactamente lo mismo), pero sí que es posible encontrar palabras, expresiones y conceptos intercambiables en un determinado contexto. Entrenarte y prepararte para la adquisición de un léxico variado te ayudará a sacarle partido a tu capacidad de asociación e identificación de los significados.

EN QUÉ CONSISTE *Características generales de la tarea que vas a realizar.*	FORMATO *Cómo se presenta el ejercicio y lo que tienes que hacer.*	TIPO DE TEXTO *Tipos de texto que puedes encontrar en esta tarea.*
En esta tarea tienes que extraer las ideas principales e identificar información específica en un texto extenso.	Leer un texto y responder a seis preguntas seleccionando una de las tres posibles respuestas (A, B o C) de cada una.	Se trata de un texto informativo simple (puede ser sobre un personaje relevante en cualquier disciplina o campo profesional) o relatos (cuentos adaptados, fragmentos de novelas juveniles…) dentro de los ámbitos público o académico con una extensión de entre 450 y 500 palabras.

Instrucciones

Lee el siguiente fragmento del libro juvenil *El sueño de Berlín* que tiene como protagonista a una adolescente, Ana. Después, debes contestar a las preguntas (13–18). Selecciona la respuesta correcta (A, B o C).

Marca las opciones elegidas en la **Hoja de respuestas**.

EL SUEÑO DE BERLÍN

ANA

Todo ha salido mal. Como siempre.

Pensé que esta vez podría hacerlo, que en esto no tenía por qué quedarme atrás. Solo era una exposición oral en clase de Lengua con apoyo audiovisual: un cuarto de hora hablando sobre el tema de nuestra elección. Incluso me hacía ilusión. Desde que Susana, la profesora, nos dijo que empezásemos a prepararlo tuve claro qué tema escogería: el Antiguo Egipto. He leído mucho sobre sus dioses y sus faraones, sobre su escritura, el arte y la vida cotidiana a orillas del Nilo. Si no fuera por mi enfermedad, me gustaría convertirme en egiptóloga algún día.

La exposición empezó bien. Había preparado un *powerpoint* con un montón de imágenes de Luxor, de la tumba de Tutankamón y del Valle de los Reyes. No necesitaba ningún guion, sabía perfectamente lo que quería contar: quería hablar de las altas columnas de Karnak, con sus capiteles en forma de flores de papiro. Y de la diosa Bastet con cara de gato. Del dios Thot, que tiene rostro de ibis e inventó la escritura, por lo que los hombres le estarán eternamente agradecidos. Y de Osiris y de la barca del Sol, que cada noche navega por un mar de oscuridad hasta emerger al otro lado del mundo.

Quería hablar de todo eso. Y lo estaba consiguiendo. Les enseñé a mis compañeros los cartuchos con el nombre de los faraones en escritura jeroglífica. Hablé de Champollion y del hallazgo de la piedra Rosetta, y de Howard Carter, el descubridor de la tumba de Tutankamón. Hablé del Alto Nilo y del

Bajo Nilo, de Tebas y de Menfis, de las crecidas que inundaban los campos cada año y fertilizaban la tierra, del dios Sobek con su rostro de cocodrilo y del otro río, el que los egipcios creían que fluía sobre sus cabezas, en el cielo, derramando de cuando en cuando sobre ellos sus riquezas en forma de lluvia.

Dejé para el final a mi preferida: Nefertiti, la esposa del revolucionario faraón Akenatón, que intentó acabar con el culto a las otras deidades para que los egipcios solo lo adorasen a él. Nefertiti, la reina de belleza sobrecogedora, una belleza que todavía podemos admirar gracias al busto encontrado por arqueólogos alemanes a principios del siglo xx y que aún hoy se conserva en un museo de Berlín. Nefertiti, la del rostro encendido de vida, la del largo y delicado cuello.

Nefertiti. Nefertiti. Nefertiti. Nefertiti.

Ya está: siete veces. Lo he repetido siete veces. Aquí es fácil, solo se trata de un diario. Nadie va a leerlo, pero en clase no era tan fácil. Sobre todo en ese momento, en medio de la exposición, cuando todas las miradas estaban fijas en mí.

Creo que todo empezó cuando vi el gesto de Laura, una chica que se sienta en la tercera fila. Vi que le daba un codazo a su compañera Eva, que las dos se miraban y que intercambiaban una sonrisa burlona. Se estaban riendo de mí.

(Adaptado de: El Sueño de Berlín *de Ana Alonso y Javier Pelegrín)*

13. En el texto se dice que Ana, para la clase de Lengua...
A) al principio no se sentía capaz de realizar la tarea.
B) tenía que escribir un texto.
C) podía elegir libremente el tema de la tarea.

14. La protagonista de la novela, según el texto...
A) sabía muy bien sobre qué tema quería hablar.
B) se entusiasmó con el tema que le propuso la profesora.
C) no podía preparar bien el tema por una enfermedad.

15. En el texto se dice que Ana, en relación con el tema de la exposición...
A) tenía solo algunas imágenes.
B) podía hablar de él sin ayuda de ningún esquema.
C) había buscado mucha información sobre Egipto.

16. Según el texto, Ana quería hablar en su exposición, entre otras cosas, sobre...
A) los diferentes hallazgos en el río Nilo.
B) las abundantes lluvias que había en las regiones del Nilo.
C) algunos detalles de la arquitectura de aquella época.

17. Ana, en el texto, afirma que Nefertiti...
A) deseaba la admiración de todos los egipcios.
B) se había casado con un faraón.
C) es conocida desde el siglo pasado.

18. Ana escribió en su diario que...
A) era más difícil para ella hablar en público que escribir.
B) hizo reír a sus compañeros.
C) olvidó lo que tenía que decir.

EXPLICACIÓN DE LAS RESPUESTAS

13. La respuesta es C porque en el texto dice que la exposición oral sería sobre un tema de la elección de los alumnos, por tanto sería un tema libre.

14. La respuesta es A. En el texto se dice que Ana tenía claro qué tema escogería, que significa precisamente que sabía muy bien sobre qué tema quería hablar, no tenía dudas.

15. La respuesta es B. En el texto dice que Ana "no necesitaba ningún guion, sabía perfectamente lo que quería contar". Eso significa que no necesitaba ninguna ayuda, ni tampoco la de un esquema.

16. La respuesta es C. En el texto se mencionan las altas columnas de Karnak, con sus capiteles en forma de flores de papiro, donde columnas y capiteles serían elementos arquitectónicos y por tanto detalles de la arquitectura de la época. En este caso se trata de una información específica donde se habla de una parte, columnas y capiteles, que se debe relacionar con el todo, elementos arquitectónicos.

17. La respuesta es B. En el texto se dice que Nefertiti era la esposa del revolucionario faraón Akenatón. Esto significa que para ser su esposa se tenía que haber casado con él, que era un faraón.

18. La respuesta es A. Ana escribe: "Aquí es fácil, solo se trata de un diario. Nadie va a leerlo, pero en clase no era tan fácil". Lo que significa que escribirlo en el diario es una tarea más fácil que exponerlo en clase, es decir, delante de sus compañeros y por tanto con público.

🔑 Los textos de esta tarea son simples e informativos sobre un personaje relevante o un relato, como en este caso, que es un fragmento de una novela juvenil. En ambos casos no tienes que interpretar el texto sino entender la información relevante y específica del texto.

🔑 La información suele darse en una secuenciación lógica y las seis preguntas de la tarea suelen aparecer en el mismo orden que se da la información en el texto. Puedes leer en primer lugar todo el texto para hacerte una idea general de lo que trata y después buscar la información que se te pide para leerla más detenidamente.

🔑 Ten en cuenta que lo que se pide en la pregunta se puede encontrar en el texto con sinónimos. Busca las palabras claves de las opciones de respuesta de cada uno de los ítems que te ayudarán a dar con la respuesta. En algunos casos puedes elegir la opción correcta por descarte, es decir, porque las otras dos no pueden ser.

🔑 En los textos informativos sobre un personaje relevante, la información puede estar relacionada con datos sobre su vida o su obra que respondan a las preguntas qué, quién o quiénes, cuándo, dónde, por qué o cómo. El tiempo verbal utilizado también te ayudará a entenderlo.

LAS CLAVES DE LA TAREA 4

EN QUÉ CONSISTE	FORMATO	TIPO DE TEXTO
Características generales de la tarea que vas a realizar.	*Cómo se presenta el ejercicio y lo que tienes que hacer.*	*Tipos de texto que puedes encontrar en esta tarea.*
En esta prueba tienes que reconstruir un texto completándolo con una serie de opciones disponibles para cada espacio.	Tienes que leer un texto con siete espacios y elegir una de las tres opciones que se te proponen.	Se trata de un texto breve de tipo narrativo, descriptivo, informativo o epistolar (entrevistas, relatos, información...).

Instrucciones

Lee el texto y rellena los huecos (19-25) con la opción correcta (A, B o C).

Marca las opciones elegidas en la **Hoja de respuestas.**

Crean un sistema para impedir tomar fotos y vídeos en conciertos y actos públicos

Un joven emprendedor sevillano _____19_____ un sistema que impide hacer fotos o vídeos con dispositivos móviles con el objetivo de controlar la toma de imágenes en lugares restringidos como _____20_____ privados, museos, espectáculos o en la industria. Este sistema garantiza el cumplimiento de las normas que no permiten capturar imágenes en ciertos sitios. La solución se basa en una funda con un cierre que no se puede abrir, que impide que los dispositivos móviles _____21_____ captar imágenes de calidad pero, al mismo tiempo, permite utilizar el resto de funciones.

Con este sistema se garantiza el cumplimiento de las normas que no permiten capturar imágenes y se evita _____22_____ los costes como los inconvenientes de un control específico. Muchas empresas y organismos, públicos y privados, intentan evitar la difusión _____23_____ imágenes para preservar la propiedad intelectual, la difusión no autorizada o la intimidad de eventos privados. Cualquier persona que _____24_____ a estos lugares con dispositivos móviles puede conseguir información privilegiada. Con idea de buscar una solución, este joven emprendedor se puso en marcha. _____25_____ ver que no existía nada efectivo para evitar este problema, el joven emprendedor siguió numerosas líneas de investigación y ensayó con diferentes diseños y materiales hasta que creó el sistema definitivo.

(Adaptado de: http://www.20minutos.es/noticia/2572762/0/crean-sistema/imagenes-fotos-videos/conciertos-lugares-restringidos/)

OPCIONES

19.	A) creaba	B) ha creado	C) creyó
20.	A) actos	B) celebraciones	C) funciones
21.	A) pueden	B) puedan	C) podrán
22.	A) entre	B) tan	C) tanto
23.	A) a	B) de	C) en
24.	A) acuda	B) esté	C) acude
25.	A) Cuando	B) En	C) Al

EXPLICACIÓN DE LAS RESPUESTAS

19. La opción correcta es la B, **ha creado**, ya que se habla de una acción pasada sin relación con un momento concreto del pasado y en este caso usamos el pretérito perfecto.

20. La opción correcta es la A, **actos**, ya que el adjetivo que le sigue es masculino y las otras dos opciones propuestas son palabras de género femenino.

21. La opción correcta es la B, porque el verbo **impedir**, al igual que otros verbos que expresan voluntad e influencia, se usan con subjuntivo, como en este caso, o con infinitivo.

22. La respuesta correcta es **tanto** (opción C) ya que se trata de una comparación de igualdad con sustantivos.

23. La opción correcta es la preposición **de** (opción B) porque en este caso se expresa el contenido o asunto de la difusión a la que se hace referencia.

24. Aquí usamos el subjuntivo del verbo **acudir**, ya que estamos hablando de alguien desconocido (opción A). La opción B no es posible ya que el verbo **estar** necesita la preposición **en** si hablamos de un lugar.

25. La opción correcta es la C, **al**, ya que junto con un infinitivo funciona como un sinónimo de **cuando** (en este caso no se puede utilizar, ya que nunca se utiliza **cuando** con infinitivo sino con un verbo conjugado).

Antes de nada haz una primera lectura rápida del texto prestando especial atención a las frases en las que están los huecos. Decide, en una segunda lectura, cuál de las opciones es la correcta en cada caso.

Las palabras propuestas en las opciones de respuesta están relacionadas entre sí. Si en un hueco falta un verbo generalmente las tres propuestas serán verbos. Intenta colocar las tres opciones y comprueba cuál de ellas te suena mejor.

Ten en cuenta que hay respuestas que se pueden descubrir por eliminación. Coloca mentalmente las tres opciones posibles en cada uno de los textos y descarta las que no consideres posibles.

Una vez que hayas completado el texto vuélvelo a leerlo en su totalidad para verificar tus respuestas. De esta manera podrás comprobar si suena bien la selección que has hecho.

Piensa que esta es la última tarea de la prueba de Comprensión de lectura. Planifica bien el tiempo de toda la prueba. Si has llegado aquí con poco tiempo no olvides marcar siempre alguna opción ya que una respuesta en blanco se considera un error.

LAS CLAVES DE LA TAREA 1

EN QUÉ CONSISTE *Características generales de la tarea que vas a realizar.*	FORMATO *Cómo se presenta el ejercicio y lo que tienes que hacer.*	TIPO DE TEXTO *Tipos de texto que puedes encontrar en esta tarea.*
En esta tarea debes comprender la información principal de conversaciones informales breves.	Tienes que escuchar siete conversaciones breves y contestar a siete preguntas con tres opciones de respuesta posibles.	Conversaciones informales sobre temas cotidianos, gustos e intereses, el tiempo libre, diálogos en tiendas o establecimientos comerciales de ámbito público...

Instrucciones

Vas a escuchar siete conversaciones. Cada una de ellas se repite dos veces. Después debes contestar a las preguntas (1–7). Selecciona el enunciado (A, B o C).

Marca las opciones elegidas en la **Hoja de respuestas.**

Escucha ahora el ejemplo:
Mensaje 0
¿Dónde va a ir el chico?

A　　　　　　　B　　　　　　　C

La opción correcta es la **B**.

	A	B	C
0.		▓	

Conversación 1
¿Qué actividad extraescolar va a hacer el chico?

A　　　　　　　B　　　　　　　C

Conversación 2
¿Qué va a comprar el hombre?

A　　　　　　　B　　　　　　　C

Conversación 3
¿A qué hora han quedado para ir al cine?

A　　　　　　　B　　　　　　　C

Conversación 4
¿Qué va a ponerse esta noche?

A　　　　　　　B　　　　　　　C

Conversación 5
¿Cómo va a grabar el vídeo el chico?

A) Con una cámara de vídeo.
B) Lo va a grabar el padre de la chica.
C) Con un teléfono móvil.

Conversación 6
¿Qué necesita la chica para practicar deporte?

A) Una raqueta de tenis.
B) Unos esquís.
C) Unos patines.

Conversación 7
¿Qué va a comer el chico?

A) Una pizza de atún.
B) Una hamburguesa.
C) Una pizza de jamón.

TRANSCRIPCIÓN DEL AUDIO

EJEMPLO
Vas a escuchar a un chico hablando con su padre.

PADRE: Jaime, ¿qué vas a hacer este fin de semana?
CHICO: Queríamos ir de excursión a la playa pero a la madre de Eva se le ha estropeado el coche.
PADRE: Pensaba que tenías partido con el equipo de fútbol.
CHICO: No, lo han suspendido porque hay muchos jugadores enfermos.
PADRE: Entonces, no tienes plan. ¿Qué te parece si nos vamos al parque de atracciones?
CHICO: ¡Genial!, ¿puedo invitar a Marcos?

Conversación 1
Vas a escuchar a un chico y una chica que hablan en el instituto.

CHICA: Oye, Aitor, ¿ya has elegido las actividades extraescolares para este curso?
CHICO: Sí, el otro día fui a inscribirme.
CHICA: ¿Nos veremos en clase de Dibujo?
CHICO: No, he decidido dejarlo, prefiero hacer otras cosas.
CHICA: ¿Qué harás?
CHICO: Los lunes y miércoles natación, tenía ganas de hacer algo de deporte.
CHICA: Yo también, pero me he apuntado a baloncesto.
CHICO: Los martes seguiré con las clases de guitarra, me encantan.
CHICA: Claro, no lo dejes. Se te da muy bien.

Conversación 2
Vas a escuchar a un hombre y una mujer que hablan en una tienda de ropa.

MUJER: Buenos días, ¿en qué puedo ayudarle?
HOMBRE: Hola, estaba buscando una chaqueta.
MUJER: ¿De qué tipo?
HOMBRE: Una chaqueta que abrigue.
MUJER: ¿Para alguna actividad en concreto?
HOMBRE: Pues mire, me gusta mucho hacer excursiones al monte y necesito algo que me proteja del frío.
MUJER: ¿Qué le parece esta?
HOMBRE: Me gusta, ¿pero no la tiene de algún color más oscuro?
MUJER: Sí, la tenemos de color azul marino.
HOMBRE: Entonces me la llevo, ¿cuánto cuesta?...

Conversación 3
Vas a escuchar a un chico y a una chica que hablan por teléfono.

CHICA: Carlos, ¿quieres venir al cine con nosotros esta tarde?
CHICO: Ah, genial, ¿a qué hora quedamos?
CHICA: ¿Te va bien a las seis delante del Ayuntamiento?
CHICO: A las seis no puedo, tengo que acompañar a mi hermano al dentista. ¿A qué hora empieza la película?
CHICA: A las siete y media, pero antes queríamos ir a dar una vuelta por el centro.
CHICO: No puedo ir tan pronto, como mucho puedo estar allí un poco antes de las siete.
CHICA: Ya, pero a esa hora no sé por dónde andaremos.
CHICO: Ya lo tengo: os espero delante del cine un poco antes de que empiece la película, ¿qué te parece?
CHICA: Entonces, nos vemos luego.
CHICO: Hasta luego.

Conversación 4
Vas a escuchar una conversación entre una chica y se madre.

CHICA: Esta noche voy a cenar con Luis y sus padres y no sé qué ponerme.

MADRE: ¿Adónde vais?
CHICA: Al italiano que han abierto en la plaza Espronceda.
MADRE: Pues, creo que debes ir arreglada pero no muy elegante.
CHICA: ¿Qué te parece el vestido verde que me regaló la abuela?
MADRE: Demasiado informal. Yo me pondría unos pantalones con una americana.
CHICA: ¿Quieres que vaya con traje?
MADRE: No, unos tejanos y una americana que no sea muy formal.
CHICA: Vale, voy a ducharme, he quedado en una hora.

Conversación 5
Vas a escuchar a un chico y una chica que hablan a la salida de clase.

CHICO: Cristina, ¿te puedo pedir un favor?
CHICA: ¿Qué quieres?
CHICO: Pues mira, la semana que viene tengo que grabar el vídeo para el trabajo de fin de curso y mi cámara de vídeo se ha estropeado. Tu padre tiene una, ¿no?
CHICA: Sí, es un poco vieja pero funciona bastante bien. ¿No quedará mejor si grabáis el video con un móvil? Los teléfonos de hoy en día tienen cámaras estupendas.
CHICO: Pues Sandra se acaba de comprar uno nuevo. Haré una cosa, se lo pediré a ella y así no molestamos a tu padre.
CHICA: No es ninguna molestia, pero pídeselo a ella, seguro que te lo deja.
CHICO: Voy a buscarla, ¿sabes dónde está?
CHICA: Ahora mismo está en el gimnasio, la encontrarás allí.
CHICO: Gracias, nos vemos.

Conversación 6
Vas escuchar una conversación entre un chico y una chica.

CHICO: Sandra, ¿quieres una raqueta de tenis?
CHICA: No, no me gusta jugar al tenis, ¿por qué me lo preguntas?
CHICO: Mi tío tiene una tienda de deportes y cierra dentro de dos semanas y todos los artículos están rebajados. Te digo lo de la raqueta porque me ha regalado unos esquís y dos raquetas de tenis.
CHICA: No me gusta el tenis, prefiero los deportes de equipo y, ahora que lo dices, ¿no tiene patines?
CHICO: Creo que sí, ¿te gusta el patinaje?
CHICA: El hockey sobre patines, hace tres años que juego en el equipo del instituto y necesito unos patines nuevos.
CHICO: ¿Qué te parece si quedamos este fin de semana y vamos a la tienda?
CHICA: Muy bien, podemos ir el sábado por la mañana.

Conversación 7
Vas a escuchar a un chico y su madre que hablan en un restaurante.

MADRE: ¿Qué te apetece?
CHICO: Me encantaría comer una hamburguesa con una montaña de patatas fritas.
MADRE: Dani, esto es un restaurante italiano, aquí no hay nada de eso.
CHICO: Ya, pues no sé, ¿y qué vas a comer tú?
MADRE: Creo que los espaguetis con almejas tienen que estar muy ricos, ¿los quieres probar?
CHICO: No, no me gustan las almejas, ya lo sabes.
MADRE: Si quieres puedes pedir una pizza de atún, antes te encantaban.
CHICO: No me apetece mucho, pediré una, pero de jamón serrano.
MADRE: Vale.

EXPLICACIÓN DE LAS RESPUESTAS

0. La respuesta correcta es la B, ya que el padre le propone ir a un parque de atracciones porque no pueden ir a la playa al no tener coche y el partido de fútbol que iba a celebrarse se ha suspendido.

1. La respuesta correcta es A, ya que el chico le comenta a la chica que quiere practicar la natación. La opción B, dibujo, no es posible porque comenta que antes hacía esta actividad extraescolar pero que quiere dejarlo y la opción C, baloncesto, es la preferida por la chica.

2. La imagen que se corresponde con la respuesta correcta es la B, la del anorak azul oscuro, ya que el hombre explica que quiere una chaqueta para ir a la montaña de color oscuro y las otras dos opciones no se ajustan a esta descripción.

3. La respuesta correcta es la última opción, C, porque el chico dice que se encontrará con sus amigos poco antes de que empiece la película (a las siete y media) y el reloj marca cinco minutos antes de este momento.

4. La opción correcta es la A, ya que la madre le dice que debería ponerse unos tejanos y una americana que no sea muy formal en lugar del vestido verde, demasiado informal, o el traje chaqueta.

5. La respuesta correcta es la C, el teléfono móvil, ya que el chico y la chica deciden que con un móvil moderno pueden grabar un vídeo tan bien como con una cámara vieja. La segunda opción no es correcta ya que en ningún momento se dice que el vídeo lo va a grabar el padre de la chica.

6. La respuesta correcta es la C, ya que la chica dice que necesita unos patines nuevos porque juega en el equipo de *hockey* del instituto. Las otras dos opciones no son posibles porque a la chica no le gustan los deportes individuales como el esquí o el tenis.

7. La opción A es la correcta, ya que el chico le dice a la madre que, aunque no quiere la pizza de atún, la pedirá de jamón. La opción B no es posible ya que en el restaurante donde están no hay hamburguesas.

🔑 Recuerda que tienes 30 segundos para leer las preguntas antes de que empiece la audición. Piensa a qué contexto se puede referir cada una de ellas.

🔑 Ten en cuenta que vas a oír cada una de las conversaciones dos veces. En una primera escucha intenta captar la idea general de lo que se dice y en la segunda presta atención a las palabras clave.

🔑 Piensa que las conversaciones que vas a oír son de tipo informal y tratan temas sobre actividades cotidianas, gustos, el tiempo libre o también pueden ser conversaciones breves que se dan en establecimientos comerciales.

🔑 Para aprovechar el tiempo marca la opción que creas correcta después de la segunda audición y lee ya la siguiente pregunta para entrar en situación. No olvides responder a todas las preguntas ya que una respuesta en blanco equivale a una respuesta incorrecta.

LAS CLAVES DE LA TAREA 2

EN QUÉ CONSISTE	FORMATO	TIPO DE TEXTO
Características generales de la tarea que vas a realizar.	*Cómo se presenta el ejercicio y lo que tienes que hacer.*	*Tipos de texto que puedes encontrar en esta tarea.*
En esta tarea tienes que localizar las ideas principales de una serie de textos breves.	Tienes que escuchar seis mensajes y relacionarlos con seis de los nueve enunciados que se te proponen.	Monólogos cortos de carácter promocional o informativo: anuncios publicitarios, mensajes personales, avisos... Se trata de textos pertenecientes al ámbito personal o público.

Instrucciones

Vas a escuchar siete mensajes, incluido el ejemplo.
Cada mensaje se repite dos veces. Selecciona el enunciado (A-J) que corresponde a cada mensaje.

Hay diez enunciados, incluido el ejemplo. Selecciona seis.

Marca las opciones seleccionas en la **Hoja de respuestas**.

Escucha ahora el ejemplo:

Mensaje 0
La opción correcta es la letra E.

Ahora tienes 25 segundos para leer los enunciados.

	MENSAJES	ENUNCIADOS
	Mensaje 0	E
8.	Mensaje 1	
9.	Mensaje 2	
10.	Mensaje 3	
11	Mensaje 4	
12.	Mensaje 5	
13.	Mensaje 6	

ENUNCIADOS

A. Se ofrece un servicio de atención en línea durante las vacaciones.

B. Informan del precio de una visita a un parque.

C. Buscan a una persona para trabajar cinco días a la semana.

D. Se informa de un cambio de programa en una actividad deportiva.

E. Es una oferta de empleo fundamentalmente para sábados y domingos.

F. Hay que inscribirse virtualmente para poder asistir.

G. Venden ropa de estilo multifuncional.

H. Buscan a un monitor para tres actividades extraescolares.

I. Los asistentes tienen que llevar su propia comida.

J. Informan del cierre temporal de un museo.

TRANSCRIPCIÓN DEL AUDIO

0. Grupo de empresas de restauración de Valladolid necesita contratar camareros extra para eventos celebrados en sus instalaciones. Imprescindible experiencia en desayunos, almuerzos, cenas y banquetes de más de 200 asistentes. Buena presencia y disponibilidad para trabajar los fines de semana.

1. Aviso de la Asociación de Padres: Para el martes 5 se ha organizado una visita al parque de Nagüeles. El horario escolar es el de siempre. Los chicos tienen que llevar su desayuno, una botellita de agua, ropa cómoda y gorra. Es aconsejable también que lleven un impermeable. La excursión es gratuita.

2. Empresa de educación no reglada precisa de un monitor para cubrir una baja por enfermedad. La persona se encargará del desarrollo de dos actividades extraescolares de lunes a viernes de 13:15 a 15:15. Imprescindible experiencia, dinamismo y capacidad de gestión de grupos infantiles y adolescentes.

3. Hola, Quique. Te llamaba para decirte que mañana no hay entrenamiento; lo han suspendido porque empiezan las obras en la pista. El encuentro de mañana lo han pasado al jueves, en el Círculo de Labradores, de seis a ocho. Si no tienes quien te lleve pasamos a recogerte, a eso de las cinco y media. Chao.

4. ¿Por qué vestirte tiene que ser un problema? En Spantapajaros te lo ponemos fácil. Queremos vestirte de una forma alegre y cómoda. Por eso tenemos telas de vistosos colores y estampados. El mismo traje puede servirte para una ceremonia o para el día a día. Visita nuestra tienda web: http://www.spantapajaros.com

5. Aviso. Cierre por vacaciones. Nuestra empresa permanecerá cerrada por vacaciones desde el día 31 de julio hasta el 23 de agosto. Durante este periodo, el servicio de atención al cliente estará disponible en nuestra tienda virtual las 24 horas del día.

6. El próximo sábado 18 de octubre el Museo Reina Sofía ofrece un encuentro para jóvenes organizado por el Equipo, grupo de jóvenes colaboradores del Museo. Este evento-encuentro tiene como objetivo de acercar el Museo a los jóvenes, activar su participación y comunicar el significado de la performance como práctica artística. Reserva tu plaza rellenando nuestro formulario en línea.

EXPLICACIÓN DE LAS RESPUESTAS

0. Enunciado E: tanto el mensaje 0 como el mensaje 2 constituyen una oferta de empleo. La diferencia es que en el 0 se dice claramente que "se trabajaría principalmente los fines de semana", es decir, los sábados y los domingos, mientras que en el mensaje 2 se habla de trabajar "de lunes a viernes".

1. Enunciado I: tanto en el mensaje 0 como en el mensaje 1 se habla de comida. La diferencia es que en el mensaje 0 se trata de "desayunos, almuerzos, cenas y banquetes", mientras que en el 1 se dice que los participantes de la excursión tienen que llevar "su desayuno" y "una botellita de agua".

2. Enunciado C: tanto en el mensaje 0 como en el mensaje 2 se ofrece un puesto de trabajo. Solo en el 2, sin embargo, es donde se especifica que la oferta de empleo es para trabajar "de lunes a viernes", es decir, cinco días a la semana.

3. Enunciado D: aunque en ningún momento se menciona la palabra **deporte**, hay varios términos en este texto que indican que se está hablando de una actividad deportiva: "entrenamiento", "pista", "encuentro"…

4. Enunciado G: no se menciona en este texto la palabra **ropa**, pero sí que hay varios términos que nos indican de lo que se trata: "vestirte", "colección", "traje"… Se nos dice además que la ropa que se vende bajo esta marca puede ser llevada en diferentes ocasiones, ya que se caracteriza por su adaptabilidad.

5. Enunciado A: en este mensaje se dice que "a través de la tienda virtual", es decir, en línea, serán atendidos los clientes durante las vacaciones. La clave vuelve a estar en este caso en los sinónimos.

6. Enunciado F: solo el mensaje 6 habla de la necesidad de "rellenar un formulario", es decir, de facilitar una serie de datos personales, con el fin de reservar plaza para la asistencia.

Quedan libres:
- Enunciado B: la visita al parque de Nagüeles es gratuita (mensaje 1).
- Enunciado H: las actividades extraescolares que tiene que realizar el trabajador sustituto son dos, no tres (mensaje 2).
- Enunciado J: no se habla de ningún cierre de ningún museo (mensaje 6), sino más bien de todo lo contrario, se informa de una serie de iniciativas culturales y artísticas de apertura al público juvenil.

En esta tarea es fundamental gestionar adecuadamente el tiempo que tienes a disposición. Es conveniente ir respondiendo a medida que se va desarrollando la audición. Es un error dejar la transcripción de tus respuestas para el final, ya que no tendrás tiempo para ello. Recuerda que las casillas de respuesta que se dejan en blanco equivalen, a efectos de puntuación, a una respuesta incorrecta.

No te saltes la lectura inicial de los enunciados. Es decisiva para poder encontrar luego las diferentes correspondencias con los mensajes. Dedica la primera audición de cada mensaje a comprender el texto en su globalidad, y no te precipites en dar una respuesta. Se te dará la oportunidad de escuchar una segunda vez cada mensaje, de manera que podrás en esta segunda audición localizar las palabras o ideas clave que te permitirán resolver los emparejamientos de los textos con los enunciados.

Los tipos de texto que se te van a ofrecer en esta tarea determinarán en gran parte el tipo de idea o palabra clave que tendrás que focalizar para resolverla adecuadamente. A menudo en los enunciados vas a encontrar términos o expresiones equivalentes a esa idea o palabra clave. Los sinónimos, es decir, esos términos o expresiones que te permiten decir lo mismo de otra manera, son de vital importancia en todos los idiomas, y el español no es una excepción. Es necesario, por ello, trabajar el enriquecimiento léxico para poder conocer, o al menos saber identificar, los términos o expresiones equivalentes.

LAS CLAVES DE LA TAREA 3

EN QUÉ CONSISTE	FORMATO	TIPO DE TEXTO
Características generales de la tarea que vas a realizar.	*Cómo se presenta el ejercicio y lo que tienes que hacer.*	*Tipos de texto que puedes encontrar en esta tarea.*
En esta tarea tienes que localizar informaciones específicas en una conversación informal.	Tras escuchar una conversación, tienes que relacionar seis enunciados que se te proponen con la persona a la que corresponden (un personaje masculino, uno femenino o bien ninguno de los dos).	Se trata de una conversación entre dos personas en la que se cuentan anécdotas o experiencias personales, en los ámbitos personal o público.

Instrucciones

🎧 3 ♪ Vas a escuchar una conversación entre dos amigos, Carmen y Álvaro. Indica si los enunciados (14-19) se refieren a Carmen (A), a Álvaro (B) o a ninguno de los dos (C). Escucharás la conversación dos veces.

Marca las opciones seleccionas en la **Hoja de respuestas.**
Ahora tienes 25 segundos para leer los enunciados.

ENUNCIADOS	A. CARMEN	B. ÁLVARO	C. NINGUNO DE LOS DOS
0. Tiene dudas sobre el examen de mañana.			X
14. No le gusta la Historia.			
15. No le cae bien Chema.			
16. Cree que el regalo del otro grupo no gustó.			
17. Le gusta hacer reír con sus expresiones.			
18. Se quedó dormido en la fiesta.			
19. Falta poco para su cumpleaños.			

TRANSCRIPCIÓN DEL AUDIO

CARMEN: Bueno, y con esto damos por terminado el repaso para el examen de mañana. ¿Te queda todo claro? ¿Tienes dudas?

ÁLVARO: Lo tengo todo clarísimo. Muchas gracias por haberme ayudado con Historia. Es una asignatura a la que le tengo manía y me cuesta mucho estudiar.

CARMEN: No te preocupes, verás que mañana va a ir todo estupendamente bien. ¿Le echamos un vistazo al blog de Chema, a ver si hay novedades?

ÁLVARO: Vale, genial. Así nos despejamos un poco.

CARMEN: Anda, mira, ha colgado las fotos del cumpleaños de Maite... Y también ha comentado, vamos a ver... Vaya, aquí estamos todos superbién.

ÁLVARO: Sí, la verdad es que fue una fiesta muy divertida. Y creo que la tableta que le regalamos le gustó mucho.

CARMEN: Sí, sí, acertamos con el regalo. Lo que creo que no le hizo mucha ilusión fue lo de la ropa que le regaló el otro grupo, a lo mejor porque no era de su estilo...

ÁLVARO: Puede ser, es que la ropa es algo muy personal. De todas maneras, siempre puede cambiarla en la tienda, no creo que se la haya quedado.

CARMEN: Oye, ¿aquí qué te pasaba?

ÁLVARO: Nada, es que me encanta poner caras raras para las fotos. Soy un poco payaso...

CARMEN: Ya veo, ya... Mira el comentario de Chema: "¡Álvaro, despiértate...!"

ÁLVARO: ¡Qué bien nos lo pasamos! A propósito, ¿cuándo es tu cumpleaños? ¿No es dentro de poco?

CARMEN: Sí, sí, dentro de tres semanas. ¿Ya estás pensando en la fiesta?

ÁLVARO: Claro, tenemos que celebrarlo como se merece.

CARMEN: Bueno, pues tú empieza a pensar en la fiesta, que yo empiezo a pensar en mi regalo...

EXPLICACIÓN DE LAS RESPUESTAS

o. La respuesta es C. Ni Carmen ni Álvaro tienen dudas respecto al examen de Historia que va a tener lugar al día siguiente. Carmen es la más preparada de los dos, por eso ayuda a Álvaro a estudiar para el examen. Gracias a la ayuda de Carmen, Álvaro consigue sentirse preparado para afrontar el examen de Historia.

14. La respuesta es B. Álvaro confiesa que su problema con la asignatura de Historia es que le tiene manía, lo cual equivale a decir que no le gusta, motivo por el que además le supone un gran esfuerzo estudiarla.

15. La respuesta es C. La idea de visitar el blog de Chema parte de Carmen, pero Álvaro la acepta con una expresión de entusiasmo ("Vale, genial"), así que se puede afirmar que a ninguno de los dos le cae mal Chema.

16. La respuesta es A. Carmen afirma que la tableta que le regalaron a Maite fue un acierto, es decir, que está segura de que le gustó; sin embargo, cuando se refiere al regalo que le hizo el otro grupo de amigos cree que no le hizo mucha ilusión, es decir, que no le gustó demasiado, quizá porque se trataba de ropa y era de un estilo que no coincidía con el de Maite.

17. La respuesta es B. Álvaro dice que le gusta poner caras raras para las fotos y que es un poco payaso. Ello equivale a decir que se divierte haciendo reír a los demás con expresiones faciales extrañas.

18. La respuesta es C. Ni Carmen ni Álvaro se quedaron dormidos en la fiesta. El comentario de Chema, "¡Álvaro, despiértate!", se refiere a una de las fotos en las que Álvaro se presenta poniendo una de sus expresiones raras, seguramente con cara de sueño.

19. La respuesta es A. Será el cumpleaños de Carmen dentro de poco, lo que equivale a decir que faltan pocos días para su cumpleaños.

🔑 Dedica la primera audición a captar el sentido global de la conversación y a localizar aspectos fundamentales o relacionados con los enunciados que se te proponen. Quizá puedas incluso responder ya a algunos enunciados, pero si no es así no te preocupes. Tendrás tiempo en la segunda audición de confirmar tus primeras hipótesis de respuesta y focalizar las palabras y expresiones claves.

🔑 Observa que los enunciados se proponen en el mismo orden en que se desarrolla la conversación. Si tienes las ideas claras sobre las respuestas a algunos de ellos, puedes concentrar tu atención en aquellos aspectos que te presentan mayor dificultad. Aun así, es indispensable mantener un alto nivel de concentración para no perder el hilo argumental. Lo que puede parecer un detalle sin importancia en una primera audición, puede revelarse fundamental para la comprensión la segunda vez que escuches el texto.

🔑 En una conversación informal, como es la que se te va a proponer en la tarea 3 de la Comprensión auditiva, son muy importantes las expresiones coloquiales o de llamada de atención entre las personas que participan. Es por ello que deberías conocer expresiones como **tener manía, echar un vistazo, vale, ya veo, genial, venga, oye**... de uso cotidiano y que constituyen un elemento fundamental para la comunicación en la lengua hablada.

LAS CLAVES DE LA TAREA 4

EN QUÉ CONSISTE _Características generales de la tarea que vas a realizar._	FORMATO _Cómo se presenta el ejercicio y lo que tienes que hacer._	TIPO DE TEXTO _Tipos de texto que puedes encontrar en esta tarea._
En esta tarea tienes que comprender las ideas principales e información detallada de textos informativos de extensión media.	Tienes que escuchar tres noticias y contestar a seis preguntas, dos por cada noticia, con tres opciones de respuesta cada una.	En esta tarea los textos son tres noticias de carácter general dentro del ámbito público.

Instrucciones

Vas a escuchar tres noticias. Después debes contestar a las preguntas (20-25). Tienes que seleccionar la opción correcta (A, B o C). La audición se repite dos veces.

Marca las opciones seleccionadas en la **Hoja de respuestas.** Ahora tienes 30 segundos para leer las preguntas.

PRIMERA NOTICIA

20. El Día Internacional de la Lengua Materna, según la audición,...

A) se celebra desde hace más de quince años.
B) este año en México está dedicado a los niños.
C) es una oportunidad de conocer las diferentes culturas.

21. En la audición se dice que en México...

A) el Festival del Día de las Lenguas se celebrará en la radio.
B) el mapa lingüístico lo han realizado ocho familias.
C) el número de lenguas originarias es inferior a setenta.

SEGUNDA NOTICIA

22. La primera edición del Festival CINI, según la audición,...

A) contará con la presencia de un director de cine muy premiado.
B) durará unos ocho días.
C) tendrá lugar en el Centro Cultural Británico de Lima.

23. En la audición se dice que en este festival...

A) los premios los darán los niños.
B) habrá una sección dedicada a los más pequeños.
C) las entradas serán gratuitas.

TERCERA NOTICIA

24. Según la audición, con motivo del Día Internacional del Libro...

A) se organizó en Dublín una lectura pública de todo _El Quijote_.
B) una veintena de niños participó en la lectura de _El Quijote_.
C) se regaló un libro de _El Quijote_ a cada niño que lo leyó.

25. En la audición se dice que...

A) muchos de los padres de los participantes eran de diferente nacionalidad.
B) en alguna ocasión la lectura de _El Quijote_ duró más de dos días.
C) una de las coordinadoras del evento lo había organizado anteriormente.

TRANSCRIPCIÓN DEL AUDIO

PRIMERA NOTICIA

En el marco de la conmemoración del 15 aniversario de la creación del Día Internacional de la Lengua Materna, por la UNESCO, la Dirección General de Culturas Populares de Conaculta dedica esta celebración a los niños y jóvenes mexicanos, con el Festival Todas las Lenguas Todas las Culturas, que tendrá lugar el próximo sábado 21 de febrero en el Museo Nacional de Culturas Populares.

Esta conmemoración parte del reconocimiento de la diversidad lingüística del país y de la importancia de la conservación y transmisión de las lenguas maternas a través de los niños y jóvenes. En México existen 68 lenguas originarias con más de 364 variantes y ocho familias lingüísticas en todo el país.

El Festival Todas las Lenguas Todas las Culturas contempla actividades como periodismo infantil, teatro de papel, lotería bilingüe, cuentacuentos en náhuatl, narraciones bilingües, arte circense,una presentación musical, el espectáculo Teatro y Música, y juegos; además del lanzamiento de 68 globos, uno por cada lengua mexicana.

El encuentro culminará con lectura de narrativa y poesía en lenguas originarias, que será transmitida en vivo por Radio Educación.

(Adaptado de: http://aristeguinoticias.com/1802/lomasdestacado/dedican-a-ninos-y-jovenes-el-dia-internacional-de-la-lengua-materna-2015/)

SEGUNDA NOTICIA

El Centro Cultural Británico presenta la primera edición de CINI, el primer Festival Internacional de Cine para Niños que se realizará, del 23 al 28 de febrero, en diferentes auditorios de Lima, en Perú. Además, en esta primera edición el cineasta uruguayo Walter Tournier será el invitado especial y se realizará una retrospectiva de sus trabajos de animación. Tournier ha recibido numerosos premios y reconocimientos internacionales en Alemania, Argentina, Brasil, Cuba, España, Francia y Perú, entre otros.

En este festival se proyectarán cortometrajes y películas con las que se busca fomentar entre los más pequeños el gusto por el cine, formando, de este modo, un nuevo público con capacidad crítica; que irá descubriendo, tras cada edición, la magia del cine.

Un jurado especializado premiará la mejor película y el mejor cortometraje. Pero además, los más pequeños podrán ser jurado de este festival ya que el público asistente podrá votar por la película y cortometraje que más le gustó.

Cabe resaltar que todas las presentaciones de este festival son de ingreso libre.

(Adaptado de: http://www.programaibermedia.com/nuestras-noticias/cini-el-primer-festival-internacional-de-cine-para-ninos/)

TERCERA NOTICIA

El pasado 23 de abril, con motivo del Día Internacional del Libro, la Asociación de Hispanohablantes de Irlanda organizó en Dublín su Primera Maratón Infantil de Lectura de la primera parte de una versión para niños del clásico universal de Cervantes.

Unos 20 niños bilingües españoles protagonizaron el evento, leyendo su capítulo respectivo, previamente practicado en sus casas. A lo largo de las dos horas las diferentes lecturas fueron grabadas y, a su término, cada familia fue obsequiada con un ejemplar del libro.

La secretaria general y coordinadora de actividades de la asociación comentaba que en el año 2005 participó en una maratón de Lectura de El Quijote original para adultos organizada por el Instituto Cervantes de Manila, y que fueron 48 horas de lectura ininterrumpida del clásico. Le pareció una experiencia memorable e inspiradora, por eso se siente especialmente orgullosa de haber podido organizar algo similar a nivel infantil.

Los niños de la asociación son en su mayoría hijos de familias mixtas, sobre todo de madre española y padre irlandés.

(Adaptado de: http://www.espanaexterior.com/seccion/62-Actividades_en_el_Exterior/noticia/351443-Veinte_ninos_bilingues_participaron_en_el_primer_Maraton_Infantil_de_Lectura_celebrado_en_Dublin)

EXPLICACIÓN DE LAS RESPUESTAS

20. La respuesta es B. En la noticia se dice que está dedicado a los niños y jóvenes mexicanos, que tendría un sentido equivalente a los que están en edad infantil y juvenil. Por otro lado, las otras respuestas no son exactas, ya que se conmemora este día desde hace 15 años y no más, y por otro lado es una oportunidad de reconocer la diversidad lingüística del país y no de conocer diferentes culturas.

21. La respuesta es C. En la noticia se dice explícitamente que hay 68 lenguas originarias, por lo tanto menos de 70. En cuanto a las otras dos opciones, el festival no se celebra en la radio sino en el Museo Nacional de Culturas Populares, y el mapa lingüístico no lo han realizado ocho familias, sino que se comenta que en México hay ocho familias lingüísticas.

22. La respuesta es A. En la noticia se dice que el cineasta uruguayo Walter Tournier será el invitado especial y que ha recibido numerosos premios. Eso significa que este director de cine estará presente en el festival, y que ha sido premiado muchas veces. Por otro lado, el festival durará solo seis días, y no dice que tendrá lugar en el Centro Cultural Británico sino en varios auditorios de Lima.

23. La respuesta es C. En la noticia se dice que todas las presentaciones de este festival son de ingreso libre, lo que significa que serán gratis. En relación con las otras dos opciones, en la audición no se dice que hay una sección específica para niños, sino que se intenta fomentar en los niños el gusto por el cine a través de la proyección de algunas películas. Y por último, tampoco todos los premios los darán los niños, algunos los dará un jurado especializado.

24. La respuesta es B. En la noticia se dice que participaron 20 niños, lo que equivale a decir una veintena de niños. En cuanto a las otras dos opciones, no se leyó todo *El Quijote* sino la primera parte de la versión infantil y leída exclusivamente por niños. Y no se le dio un libro a cada uno de los niños sino a cada familia.

25. La respuesta es A. En la noticia se dice que la mayoría son hijos de familias mixtas, sobre todo de madre española y padre irlandés, por lo tanto de dos nacionalidades, al menos, diferentes. Por otro lado no se menciona que alguna lectura de *El Quijote* duró más de dos días, solamente se dice que la de Manila se hizo durante 48 horas. Y uno de los coordinadores no organizó otro evento similiar anteriormente sino que participó en una lectura de *El Quijote* para adultos.

🗝 Las tres noticias que vas a escuchar son textos que suelen dar información sobre algún tipo de evento que ya ha ocurrido o que va a tener lugar, como puede ser un festival de cine, un concurso, una celebración, una convocatoria, un espectáculo…, o sobre algún personaje destacado. Las dos preguntas de cada noticia se basarán tanto en las ideas principales como en información detallada de cada una de ellas, pero lee bien cómo comienzan las preguntas ya que normalmente aparece ahí el evento que te ayudará a activar estrategias. Si es un festival de cine, por ejemplo, qué tipo de festival, cuándo será o ha sido, dónde, etc.

🗝 Antes de escuchar la noticia tendrás un minuto para leer las preguntas. Subraya o marca en cada una de las opciones el dato o la palabra clave que aparece sobre el que se dirá algo en la audición. Al tratarse de información específica lo que escucharás será un sinónimo o una frase equivalente.

🗝 Como son tres opciones, lo que puedes hacer también es eliminar las que no pueden ser. Piensa que lo vas a escuchar dos veces, en la primera localizas la información y en la segunda prestas mayor atención a la información específica. En las dos opciones no válidas, no son correctas porque hay algún dato que es un poco o muy diferente.

🗝 Las preguntas también suelen seguir el orden de la audición y no hay que interpretar la información. Eso te ayudará a buscar la información específica de la noticias.

LAS CLAVES DE LA TAREA 1

EN QUÉ CONSISTE	FORMATO	TIPO DE TEXTO
Características generales de la tarea que vas a realizar.	*Cómo se presenta el ejercicio y lo que tienes que hacer.*	*Tipos de texto que puedes encontrar en esta tarea.*
En esta tarea debes redactar, a partir de la lectura de un texto breve, un texto informativo sencillo con el que respondas a ese texto que has leído.	El texto que deberás redactar será una carta, un correo electrónico, una entrada de blog o un mensaje en un foro de ámbito personal o público. La extensión del texto que debes escribir es de unas 60-70 palabras.	Tendrás unas instrucciones o pautas para la redacción del texto de salida. Generalmente habrá un estímulo escrito en forma de nota, anuncio, carta o mensaje que servirá de base para la redacción del texto de salida.

Instrucciones

Un amigo español que conociste este verano en Valencia te ha escrito para preguntarte cómo te va el inicio del curso escolar. Lee el correo y contéstale.

En tu respuesta, no olvides:
- saludar,
- explicar cómo es tu nuevo instituto,
- comentar que volverás a Valencia en Navidad con la familia,
- dar recuerdos a otros amigos comunes,
- despedirte.

GUARDAR   RESPONDER

¡Hola!

¿Qué tal? ¿Cómo va todo?

Te escribo porque sé que hace ya una semana que has empezado el curso en tu nuevo instituto y quería saber cómo te iba todo. Te echamos mucho de menos aquí en Valencia, nadie hace bromas como tú y, además, con ese acento tan simpático que tienes. Espero que nos podamos ver pronto. Ya me dirás.

Un fuerte abrazo,

Chema

EJEMPLO DE PRODUCCIÓN ESCRITA

¡Hola!

Me ha alegrado mucho tu email.

El instituto nuevo me gusta bastante, es mucho más grande que el del pueblo y en nuestra clase somos 35 estudiantes. Hay mucha oferta de actividades extraescolares y los profesores son muy simpáticos.

¡Gran noticia! Voy a volver a Valencia en Navidad, pero esta vez con mi familia. ¿No te parece genial?

Te dejo, tengo que hacer los deberes. Da recuerdos a todos por ahí.

Un abrazo,

L.

Piensa que esta es la primera tarea de la prueba de Expresión escrita y que, generalmente, es la que conlleva más problemas de tiempo para los candidatos. Recuerda que tienes que completar las dos tareas en 50 minutos y que la segunda es un texto más extenso.

Ten en cuenta que es básico leer bien las instrucciones y el texto de entrada para entender lo que tendrás que redactar en esta tarea.

Recuerda que las instrucciones en esta tarea son muy precisas, contesta a cada uno de los puntos y ajusta el texto a la extensión requerida (60-70 palabras)

LAS CLAVES DE LA TAREA 2

EN QUÉ CONSISTE	FORMATO	TIPO DE TEXTO
Características generales de la tarea que vas a realizar.	*Cómo se presenta el ejercicio y lo que tienes que hacer.*	*Tipos de texto que puedes encontrar en esta tarea.*
En esta tarea debes redactar un texto descriptivo o narrativo en el que expreses una opinión y des información de interés personal, relacionada con experiencias propias, sentimientos, anécdotas...	Tienes que redactar una composición, una entrada de diario, una biografía..., que puede incluir descripción o narración, y donde expongas información y opinión personal. Ámbitos personal o público. La extensión del texto que debes escribir es de unas 110–130 palabras. Debes elegir una de las dos opciones con distinto tema.	Vas a tener unas instrucciones o pautas para la redacción del texto de salida. En alguna ocasión puede haber un estímulo escrito en forma de breve mensaje anunciado por una escuela o centro educativo para contextualizar el texto de salida.

Instrucciones

Lee el siguiente mensaje publicado en el blog de una escuela. Después, redacta un texto en el que cuentes:

- qué excursión realizaste,
- qué hicisteis durante la excursión,
- lo que más te interesó y por qué,
- si hubo algo que no te gustó.

Número de palabras: **entre 110 y 130.**

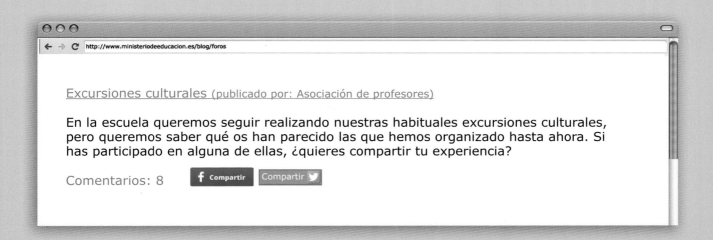

http://www.ministeriodeeducacion.es/blog/foros

Excursiones culturales (publicado por: Asociación de profesores)

En la escuela queremos seguir realizando nuestras habituales excursiones culturales, pero queremos saber qué os han parecido las que hemos organizado hasta ahora. Si has participado en alguna de ellas, ¿quieres compartir tu experiencia?

Comentarios: 8   f Compartir   Compartir 🐦

EJEMPLO DE PRODUCCIÓN ESCRITA

El año pasado participé en una excursión de la escuela. Hicimos senderismo en un parque natural para hacer un proyecto de las asignaturas de Conocimiento del Medio, Educación Física, Expresión Plástica y Lengua. La excursión fue de un día y en general me gustó mucho. Salimos en autobús a las ocho de la mañana, porque el parque está a 60 km de la escuela. Allí hicimos andando un recorrido de 5 km, sacamos fotos de las plantas de la zona, y disfrutamos de las vistas y de los pájaros. Lo que más me interesó fue conocer la naturaleza de la zona porque vivo en una ciudad y no voy con mucha frecuencia al campo. No me gustó tanto subir la montaña, me cansé un poco, pero bajar fue fantástico.

En esta tarea hay dos opciones de las que tendrás que elegir una. Léelas bien y selecciona la que te resulte más fácil, tanto porque el tema sea más familiar para ti como por tu experiencia personal.

Piensa que tienes que escribir entre 110 y 130 palabras, es decir, unas 12 líneas. Si escribes de manera precisa sobre cada una de ellas, será suficiente para cubrir el número de palabras exigido.

Recuerda que tienes 50 minutos para escribir las dos tareas. Tienes tiempo suficiente para redactarlas, por lo que controla el tiempo que vas a dedicar a cada una de ellas. Lo importante es seguir las pautas propuestas y limitarte al número de palabras establecido.

LAS CLAVES DE LA TAREA 1

EN QUÉ CONSISTE *Características generales de la tarea que vas a realizar.*	FORMATO *Cómo se presenta el ejercicio y lo que tienes que hacer.*	MATERIAL DE ENTRADA *Qué materiales se te facilitan para la preparación de la prueba.*
Tienes que preparar la descripción, breve y sencilla, de una imagen de la vida cotidiana en relación con un tema concreto de la misma.	Se trata de que hagas un monólogo a partir de una fotografía que trata sobre un tema relacionado con la vida cotidiana durante dos o tres minutos.	Te van a proporcionar dos fotografías para que elijas una con una serie de preguntas sobre los aspectos que tienes que comentar en tu descripción.

Instrucciones

A continuación tienes un tema y unas instrucciones para realizar una exposición oral. Tendrás que hablar **durante 2 o 3 minutos.**

TIEMPO DE OCIO

Describe con detalle, durante dos o tres minutos, lo que ves en la foto. Estos son algunos aspectos que puedes comentar:

– ¿Cómo son las personas que aparecen en la fotografía? Describe a alguna de ellas: el físico, el carácter que crees que tiene, la ropa que lleva...
– ¿Dónde están esas personas? ¿Cómo es ese lugar? ¿Qué objetos hay?
– ¿Qué relación crees que tienen esas personas? ¿Por qué?
– ¿Qué crees que están haciendo en este momento? ¿Por qué?
– ¿De qué crees que están hablando? ¿Por qué?
– ¿Qué crees que va a pasar luego? ¿Y después de eso?

EJEMPLO DE PRODUCCIÓN ORAL

En la imagen vemos a tres chicas de unos quince años. Las tres tienen el pelo largo y son morenas, pero la chica de la derecha lo tiene más largo que las otras dos. Todas van vestidas de manera cómoda. La chica de la izquierda lleva unos pantalones verdes y una camisa fucsia. La chica que está en el medio lleva unos pantalones negros y una camisa a cuadros de manga corta. La chica de la derecha también lleva unos pantalones largos negros, pero lleva una camiseta azul de manga larga. Por la fotografía, me parecen bastante agradables y simpáticas, porque están sonriendo. Pueden ser hermanas, pero creo que son compañeras de clase, porque parecen de la misma edad y no se parecen físicamente, y tienen la misma afición, la música. Creo que están en la habitación de los padres de una de ella, por el tipo de muebles, y están sentadas encima de la cama, por eso están descalzas. Vemos que una está tocando la guitarra y las otras dos están cantando y moviendo los brazos. Están hablando sobre cómo interpretar una canción de su grupo favorito. Han formado un trío musical y van a cantar la canción en una fiesta con amigos. Después van a merendar y jugar un rato con sus tabletas.

Esta tarea, junto con la tarea número 3 (la presentación de un tema), te la podrás preparar justo antes de la realización del examen oral. En esta tarea se te ofrecerán dos fotografías para que elijas una de ellas. Tendrás 12 minutos para la preparación de la tareas 1 y 3. Organízate bien y así tendrás tiempo suficiente para prepararte ambas.

Elige la fotografía que te resulte más familiar o sobre la que tú creas que puedes hablar con mayor facilidad. Ten en cuenta también, a la hora de elegir la fotografía, que la tarea 2, la conversación en situación simulada, estará relacionada con el tema de la tarea 1, y que no te la preparas previamente. Al mismo tiempo que preparas la fotografía puedes pensar en posibles situaciones de comunicación en relación con el tema.

Tendrás que hablar durante dos o tres minutos en forma de monólogo, es decir, sin ayuda del entrevistador. Para ello tienes unas preguntas que te servirán de guía para tu descripción. No tienes que contestarlas directamente, sino que las vas a utilizar como guía, así tu descripción tendrá mayor coherencia. Además, será suficiente para cumplir con los requisitos y el tiempo de la tarea.

Recuerda que puedes echar un vistazo a tus notas, no leerlas, en el caso de que no recuerdes alguna palabra o idea. Lo importante es que no te bloquees y que tu descripción sea clara y fluida.

LAS CLAVES DE LA TAREA 2

EN QUÉ CONSISTE	FORMATO	MATERIAL DE ENTRADA
Características generales de la tarea que vas a realizar.	*Cómo se presenta el ejercicio y lo que tienes que hacer.*	*Qué materiales se te facilitan para la preparación de la prueba.*
La tarea consiste en una conversación, en situación simulada, relacionada con el tema tratado en la tarea anterior.	Deberás interactuar con el examinador de forma que se pueda evaluar tu capacidad para participar en conversaciones breves de carácter informal. La conversación tendrá una duración de 2–3 minutos.	Te van a proporcionar una lámina en la que verás qué papel tenéis que representar el examinador y tú. En la lámina tendrás unas pautas que deberás seguir a lo largo de la conversación.

Instrucciones

Estás en casa con un compañero del instituto con el que has quedado para escuchar música y charlar un rato.

El examinador es tu compañero. Habla con él siguiendo estas indicaciones.

Candidato:

Durante la conversación con tu compañero debes:
- comentarle qué tipo de música te gusta,
- preguntarle qué le gusta hacer en su tiempo libre,
- explicarle qué actividades de ocio prefieres,
- invitarle a hacer alguna actividad juntos.

EJEMPLO DE PRODUCCIÓN ORAL

Entrevistador: ¿Qué te parece si pongo algo de música?

Candidato: Perfecto, pon lo que quieras.

Entrevistador: ¿Qué estilo de música prefieres?

Candidato: Me gusta la música rock y pop, pero también escucho música electrónica. Depende del momento o la situación, pero me gustan muchos tipos de música. La única que no soporto es el jazz; creo que es muy aburrido.

Entrevistador: ¿Vas mucho a conciertos?

Candidato: A veces. El problema es que las entradas son muy caras y no puedo ir a todos los que me gustaría. Voy, más o menos, a un concierto al mes. Y, a ti, ¿qué te gusta hacer en tu tiempo libre?

Entrevistador: Pues cosas relacionadas con la música: ir a conciertos, tocar con mi grupo, escuchar música en el local de ensayo con los amigos... También me encanta leer e ir al cine.

Candidato: A mí me gusta lo mismo que a ti, pero también dedico mucho tiempo al deporte. Me encanta esquiar, en invierno voy cada fin de semana a la sierra, y juego en el equipo de balonmano del instituto.

Entrevistador: Yo antes jugaba al baloncesto, pero lo dejé.

Candidato: Oye, la semana que viene toca Amaral en la sala Zeleste. ¿Qué te parece si quedamos para ir?

Entrevistador: Perfecto, se lo diré también a mis amigos del grupo.

El tema de esta tarea está relacionado con la tarea 1 y no tendrás tiempo para preparar la conversación, pero durante la preparación de la tarea 1 te puedes hacer una idea de los temas que se pueden tratar.

Es importante contestar con tranquilidad, como si estuvieras en una conversación informal. Si quieres decir algo pero no encuentras la manera o te falta vocabulario busca un sinónimo o haz una descripción de lo que quieres decir.

Si no entiendes alguna de las cosas que te ha dicho el examinador, no dudes en preguntarle con una frase como: "Perdona, no te entendido, ¿me lo puedes repetir?".

Piensa que debes prestar mucha atención a las respuestas del entrevistador ya que uno de los objetivos de esta tarea es comprobar tu capacidad de interactuar con él.

LAS CLAVES DE LA TAREA 3

EN QUÉ CONSISTE *Características generales de la tarea que vas a realizar.*	FORMATO *Cómo se presenta el ejercicio y lo que tienes que hacer.*	TIPO DE TEXTO *Tipos de texto que puedes encontrar en esta tarea.*
Tienes que preparar y realizar una breve presentación en la que hablarás sobre aspectos y experiencias de tu vida cotidiana en relación con un tema concreto.	Se trata de que hagas un breve monólogo a partir de un tema dado. Tendrás que elegir entre dos opciones temáticas, y, a continuación, preparar la que has elegido.	El tema se te proporcionará en una lámina que incluye una serie de indicaciones sobre el contenido de la presentación.

Instrucciones

A continuación tienes un tema y unas instrucciones para realizar una exposición oral.
Tendrás que hablar **durante 2 o 3 minutos.**

EL MEDIO AMBIENTE Y YO

Incluye información sobre:
- los motivos por los que pensar en el medio ambiente es importante,
- si crees que eres respetuoso con el medio ambiente,
- qué acciones concretas y cotidianas demuestran cuál es tu relación con la naturaleza,
- si crees que en tu país la gente tiene conciencia ecológica,
- qué otras cosas se podrían hacer para mejorar nuestra relación con el medio ambiente.

No olvides:
- diferenciar las partes de tu exposición: comienzo, desarrollo y final,
- ordenar y relacionar bien las ideas,
- justificar tus opiniones y sentimientos.

EJEMPLO DE PRODUCCIÓN ORAL

Creo que el medio ambiente es muy importante, ya que toda nuestra vida depende de él. Si no respetamos el medio ambiente, no tenemos calidad de vida. Pienso que a veces no le damos mucha importancia a la naturaleza, y eso es un error. Yo creo que respeto bastante el medio ambiente: en mi casa reciclamos la basura, la separamos, reciclamos también la ropa y cuidamos a los animales. Además, intentamos hacer una vida sana y ahorrar cuando usamos las pilas, la luz eléctrica, la calefacción o el coche, por ejemplo. A mí me encanta ir al instituto en bicicleta o andando si hace buen tiempo. En mi país no todo el mundo es respetuoso con el medio ambiente. A veces las personas no se preocupan por la naturaleza y no les importa ensuciar las calles ni los parques, o prefieren no saber si están contaminando. Sin embargo, entender que nuestra forma de vida puede no ser correcta para el medio ambiente es importante. Siempre podemos hacer mejor las cosas. Creo que es importante para el presente y para el futuro de nuestra sociedad. Debería existir una política para facilitar nuestra relación con el medio ambiente. Al final, si reciclar es fácil, todos lo harán. Si es difícil, muchas personas seguirán evitando reciclar.

Esta tarea, junto con la tarea 1 (la descripción de la fotografía), es la que podrás preparar previamente a la realización del examen oral. Para ello se te conducirá a la sala de preparación y se te ofrecerán dos opciones, de las cuales tendrás que elegir una. Tendrás 12 minutos a tu disposición para la preparación de la prueba.

Recuerda que en la fase de preparación no está permitido el uso del diccionario. Los únicos materiales con los que contarás en ese momento serán: la lámina con las indicaciones para la realización de la prueba, un folio para tomar notas y un lápiz, que te serán proporcionados por el personal de apoyo y vigilancia que estará contigo en la sala de preparación.

Evita prepararte un discurso lineal en el borrador. Es mucho más útil y rentable organizar tus ideas en forma de esquema visual, focalizando las ideas más importantes y las palabras clave, reflexionando así mentalmente sobre lo que quieres decir. Cuando entres en la sala de examen, se te permitirá entrar con tu folio de notas y, aunque no podrás ponerte a leerlo, contar con su presencia te ayudará a reforzar el discurso que te has preparado.

Organiza bien lo que quieres decir con la ayuda de los elementos organizadores del discurso y los conectores (en primer lugar, en segundo lugar, además, sin embargo). Ten en cuenta que se trata de un monólogo. El entrevistador no va a interactuar contigo y no cuentas con un soporte visual para tu presentación, así que es fundamental que tus ideas estén organizadas, que respondan a los puntos que se te indican en la lámina de presentación y que no se presenten como frases inconexas.

Puede que se te olvide cómo se dice una palabra concreta en español, o que intentes expresar algo que para lo que no estás seguro de conocer el término adecuado. Intenta en ese caso encontrar un sinónimo o ser descriptivo, pero no te bloquees, y sigue adelante con la presentación. Recuerda que en esta tarea el entrevistador no puede interactuar.

LAS CLAVES DE LA TAREA 4

EN QUÉ CONSISTE *Características generales de la tarea que vas a realizar.*	FORMATO *Cómo se presenta el ejercicio y lo que tienes que hacer.*	TIPO DE TEXTO *Tipos de texto que puedes encontrar en esta tarea.*
Tienes que responder a una serie de preguntas que el entrevistador te va a hacer sobre el tema de tu presentación.	Se trata de una entrevista de unos dos o tres minutos a partir de la presentación que has realizado previamente.	El entrevistador planteará una serie de preguntas relacionadas con el tema de la tarea 3.

Instrucciones

Cuando hayas terminado tu presentación (tarea 3), deberás mantener una conversación con el entrevistador sobre el mismo tema **durante 2 o 3 minutos.**

EL MEDIO AMBIENTE Y YO

NOTA IMPORTANTE: Este material es puramente indicativo del tipo de preguntas que pueden hacerte. No se te proporcionará ningún listado de preguntas. Solo el entrevistador tiene un repertorio de preguntas sobre el tema que has preparado.

- ¿Alguna vez has visto a personas comportarse de manera poco respetuosa con el medio ambiente? ¿Qué sucedió en esa situación? ¿Qué te pareció ese comportamiento?

- ¿Por qué crees que la gente a veces no piensa en cuidar el medio ambiente?

- ¿Qué crees que sucedería si nadie se preocupase por ser respetuoso con la naturaleza?

- ¿Cuáles son las ventajas de cuidar el medio ambiente?

- ¿En tu colegio o instituto existen iniciativas para concienciar a la gente de la importancia de este problema? Si existen, ¿puedes contarme en qué consisten? Si no existen, ¿qué piensas tú que podría hacerse en este caso?

- ¿Crees que es importante ser respetuosos con los animales? ¿Por qué?

- ¿Crees que es importante comer alimentos ecológicos? ¿Por qué?

- ¿Crees que algunos países son más respetuosos que otros en la cuestión del medio ambiente? ¿Puedes indicarme algún país que destaque por su conciencia ecológica? ¿Cómo crees que son sus habitantes?. ¿En qué se diferencian de los demás?

EJEMPLO DE PRODUCCIÓN ORAL

Entrevistador: ¿Por qué crees que la gente a veces no piensa en cuidar el medio ambiente?.

Candidato: Creo que a veces las personas piensan, por ejemplo, que reciclar la basura es complicado o que las cosas pueden ser solo de una manera y no de otra. Creo que a veces la excusa es que tenemos poco tiempo para todo.

Entrevistador: ¿Qué crees que sucedería si nadie se preocupase por ser respetuoso con la naturaleza?

Candidato: Sería un desastre. Viviríamos mal, nuestro mundo estaría completamente contaminado. No podríamos beber el agua, ni comer alimentos sanos, ni respirar el aire. Seguro que habría más guerras y violencia.

Entrevistador: ¿Crees que es importante ser respetuosos con los animales?.

Candidato: Sí, claro.

Entrevistador: ¿Por qué?

Candidato: Porque los animales son una parte fundamental de la naturaleza. Si no tratamos bien a los animales, estamos haciendo un daño a la cadena de la naturaleza y se rompe el equilibrio. También pienso que una persona que no respeta a los animales tampoco respeta a las personas.

Entrevistador: ¿En tu colegio o instituto existen iniciativas para concienciar a la gente de la importancia de este problema?

Candidato: No muchas, pero se hacen algunas cosas.

Entrevistador: ¿Puedes contarme en qué consisten?

Candidato: Bueno, ahora estamos recogiendo tapones, botellas y envases de plástico para venderlos después a una empresa que los recicla. También hemos hecho una campaña para adoptar a los animales de un parque natural de nuestra ciudad. Es bonito porque sabes que estás haciendo algo que está bien y, además, te diviertes.

Entrevistador: Vale, pues hemos terminado con la tarea 4. El examen oral ha terminado. Gracias por tu participación.

🔑 Esta tarea enlaza con el tema que has preparado en tu presentación. No sabes qué preguntas va a hacerte el entrevistador, pero ya durante los 12 minutos de preparación puedes empezar a pensar en el tipo de preguntas que se te pueden presentar. Cuando elijas el tema que vayas a preparar, ten en cuenta también esto.

🔑 El entrevistador posee un repertorio de preguntas que puede hacerte sobre el tema que has preparado. No te las hará todas, sino que irá haciendo una selección en función de cómo se vaya desarrollando la entrevista. Recuerda, además, que si en tu presentación no has tocado alguno de los puntos previstos en las indicaciones, el entrevistador puede pedirte que lo desarrolles ahora.

🔑 Es importante que no te dejes dominar por los nervios a la hora de responder. Intenta mantener una actitud serena y tranquila. Piensa que las preguntas siempre van a estar relacionadas con el tema que has preparado. Si te hacen una pregunta que no entiendes, no te bloquees y pídele al entrevistador que te la repita: "Perdone, ¿me puede repetir la pregunta?".

🔑 No debes responder de manera breve o apresurada. Tus respuestas tienen que estar justificadas y elaboradas de manera sencilla, pero clara. Es una buena estrategia aportar ejemplos de tu experiencia personal o de tu entorno más próximo.

EXÁMENES

PRUEBA DE COMPRENSIÓN DE LECTURA

Esta prueba contiene cuatro tareas. Debes responder a 25 preguntas.
Duración: 50 minutos. Marca tus opciones únicamente en la **Hoja de respuestas.**

TAREA 1

Instrucciones

Vas a leer seis textos en los que unos jóvenes comentan algunas de sus aficiones e intereses y diez anuncios de diferentes eventos. Relaciona a los jóvenes (1-6) con los anuncios de los eventos (A-J). *HAY TRES TEXTOS QUE NO DEBES RELACIONAR.*

Marca las opciones elegidas en la **Hoja de respuestas.**

	PERSONA	TEXTO
0.	DIEGO	D
1.	CLARA	
2.	NIKOLAI	
3.	LEILA	
4.	PABLO	
5.	JULIA	
6.	PACO	

0. DIEGO:
Tengo 17 años y mi pasión es hacer reportajes. No sé si en el futuro seré periodista. Participo activamente en la revista del cole, aunque me gustan más las imágenes que escribir.

1. CLARA:
Desde que era pequeñita me gusta más hacer a mí las cosas antes que comprarlas. Con papel, cartón, pinturas y unas tijeras hago cosas que necesito y hasta regalos para mis amigas.

4. PABLO:
Tengo 17 años y he visto que otros chicos llevan un piercing y cosas así, pero yo no quiero hacerme algo definitivo. Prefiero algo temporal y así cambiar.

2. NIKOLAI:
Soy el mayor de tres hermanos y tenemos 16, 13 y 11 años. A los tres nos encanta el deporte y practicarlo juntos, también con nuestros padres, sobre todo correr.

5. JULIA:
Me gusta la moda como a las chicas de mi edad, pero busco maneras alternativas para vestir a mi gusto sin gastar mucho dinero.

3. LEILA:
A mí me encanta tocar la guitarra, pero, sobre todo, la lectura. Sin embargo, a casi nadie de mi clase le gusta. Los demás prefieren los videojuegos.

6. PACO:
Todos mis amigos están siempre con los videojuegos, o con su tableta o en el ordenador, pero yo, a pesar de mi edad, sigo prefiriendo los más tradicionales.

Texto A

De armario en armario

¿Tienes el armario lleno de ropa que no utilizas? ¿Quieres renovarla pero no tienes ni un duro? ¡*De armario a armario* es tu evento! Un trueque de ropa que se celebra en Valencia cada dos o tres meses, donde puedes intercambiar las prendas y complementos en buen estado para que tengan una segunda vida.

Texto B

CALCOMANÍA PARTY

Si siempre has querido tatuarte, pero tienes miedo a las agujas o si quieres tener lo último en ilustración en tu piel, este es tu evento. En la fiesta participarán artistas tanto nacionales como internacionales y de diferentes estilos. Sus calcomanías están impresas con tinta basada en soja y se pueden eliminar con jabón.

No querrás quitártelas.

Texto C

MARATÓN DE JUEGOS DE MESA

Una buena ocasión para retomar los juegos más clásicos como el parchís y la oca, o descubrir nuevos y originales. Los miembros de una misma familia pueden apuntarse juntos o por separado a distintas partidas. ¡Habrá premios para los ganadores del torneo!
Edad recomendada: 3 a 99 años.
Lugar: Multiespacio Frutopía.

Texto D

Ejemplo

FOTOFESTÍN

es un evento que invita a los jóvenes fotógrafos a participar en visitas guiadas y exposiciones, entre otras actividades, y una oportunidad para que cientos de jóvenes universitarios relacionados con el mundo de la fotografía perfeccionen su formación y adquieran la experiencia necesaria para una mejor inserción en la vida laboral.

Texto E

Entérate

Salamanca, una de las ciudades con más universitarios, recibe este jueves 2 de octubre, una nueva edición del evento *Entérate*, el foro itinerante que mueve a más jóvenes en España. **Universia**, la red de Universidades más importante de Iberoamérica, estará presente en este encuentro, asesorando sobre becas, cursos, carreras y salidas profesionales.

Texto F

MINIMARATÓN ATLÁNTICA

Con el objetivo de impulsar el deporte y los hábitos de vida saludables entre los jóvenes coruñeses, el Ayuntamiento de A Coruña organiza la primera Minimaratón Atlántica. Las pruebas estarán divididas en nueve categorías según las edades de los participantes. Podrán tomar la salida desde los más pequeños hasta los menores de 18 años.

Texto G

JÓVENES POR LA MÚSICA

un evento que valorará la interpretación de piezas musicales propias que trasmitan mensajes positivos a la comunidad. Las bandas interesadas deben tener un máximo de cinco integrantes, entre 15 y 29 años de edad. Las audiciones y entrega de demos, para seleccionar a las ocho mejores bandas, se realizarán del 4 al 17 de marzo, en el ayuntamiento de Miraflores.

Texto H

FIESTA *BOOKCROSSING* ¡LIBERA UN LIBRO!

El miércoles, 21 de mayo, haremos una liberación masiva de más de 500 libros registrados en *BookCrossing*. Queremos que sea una fiesta (libros, música, amigos y...¡regalos!) a la que todo el mundo está invitado. Es una iniciativa que quiere convertir el mundo en una biblioteca global y participativa mediante el intercambio de libros de manera gratuita.

Texto I

YOU WIN!

El mayor evento de videojuegos de Zaragoza se celebrará el día 12 de abril en el Palacio de Congresos, en sesiones de mañana y tarde. Sobre todo será una actividad de entretenimiento para toda la familia, con distintas zonas temáticas para que los usuarios puedan encontrar juegos y actividades de su interés. Entradas ya a la venta.

Texto J

DIY MANUALIDADES

Nuestro evento mensual dará esta vez un nuevo aire a tus libros escolares. Si os aburren las típicas tapas de vuestros libros, venid a la biblioteca para darles un aspecto más interesante con dibujos de novelas gráficas para recortar y pegar.

Novelas gráficas para recortar y cinta adhesiva estarán a vuestra disposición. Indispensable: imaginación. Edades 10-18.

TAREA 2

Instrucciones

Vas a leer tres textos de jóvenes que hablan sobre su experiencia de viajar en solitario. Relaciona las preguntas (7-12) con los textos (A, B o C).

*Marca las opciones elegidas en la **Hoja de respuestas**.*

		A. ANIKO	B. CARLOS	C. PATRICIA
7.	¿Quién ha necesitado estar más en forma para recorrer el mundo?			
8.	¿A quién no le importó dejar un empleo para viajar?			
9.	¿A quién le resultó más difícil dar el primer paso?			
10.	¿Quién se marchó con algo de dinero que tenía?			
11.	¿Quién cambió su modo de viajar?			
12.	¿Quién lleva menos tiempo viajando?			

A. ANIKO

Un amigo de Barcelona me dijo con cara de asombro hace unos días: "¡No puedo creer que lleves cuatro años viajando por el mundo!".

Sí, cuatro años, casi como una segunda carrera universitaria.

Lo de viajar por el mundo no es algo que se me ocurrió de un día para el otro, es algo que soñé toda mi vida.

Cuando terminé la secundaria no sabía qué estudiar. Hice un curso de orientación vocacional y cuando me preguntaron qué haría si tuviese muchísimo dinero, contesté que lo usaría para viajar por el mundo. A los 22 años tenía 3000 dólares ahorrados. No lo pensé demasiado. Fue tan simple como eso: despertarme un día y decir me voy. Y hacerlo.

(Adaptado de: http://viajandoporahi.com/mis-cuatro-anios-de-viajera-como-empece-como-trabajo-y-como-me-financio)

B. CARLOS

Tengo 30 años, y ya llevo varios viajando por el mundo, los últimos, montado en mi bicicleta, con la que he recorrido 32.060 km.

Empecé hace 32 meses en Indonesia, aunque ya llevaba ya bastante tiempo viajando. En mis anteriores viajes echaba de menos el deporte y la sensación de acabar agotado, además de tener mi propio medio de transporte para llegar a aquellos lugares que de otra manera no podría. Y eso era la bicicleta. Además de la bicicleta, las cosas más esenciales son un hornillo para cocinar, la tienda de campaña y mi cámara de fotos para documentar aquellas injusticias que me voy encontrando por el camino, que es el motor principal de este proyecto.

(Adaptado de: http://www.mundo-nomada.com/articulos/empece-a-viajar-en-bicicleta-hace-32-meses)

C. PATRICIA

Desde que nací, en el 87, he querido recorrer mundo. En enero de 2014 me despedí de un trabajo que no me hacía feliz para cumplir este sueño. Me costó tomar la decisión de viajar sola: tenía dudas, miedos y agobios. Finalmente, y como era más cabezota que miedosa, decidí tirar para adelante y comenzar mi viaje sabiendo que la experiencia que me esperaba era mucho más importante. Hice una pequeña prueba de 4 días en el Camino de Santiago, di unas clases de defensa personal y elegí un país: Tailandia. Viajé durante 7 meses por el sudeste asiático y disfruté muchísimo. Hoy en día todavía estoy terminando de contar mis aventuras en solitario y preparando la siguiente.

(Adaptado de: http://www.dejarlotodoeirse.com/viajar-sola/)

TAREA 3

Instrucciones

Vas a leer un fragmento de la novela juvenil: El diario naranja de Carlota *de la escritora Gemma Lienas. Después, debes contestar a las preguntas (13-18). Seleccione la respuesta correcta (A, B o C).*

*Marca las opciones elegidas en la **Hoja de respuestas**.*

EL DIARIO NARANJA DE CARLOTA

20 de septiembre

Ana, la tutora, nos mira a todos tras sus gafas rojas.
–Bien, chicos y chicas, pasaremos el año juntos, no sólo en la clase de Lengua, sino también en la tutoría –dice.
Después se pone a explicarnos cuestiones de tipo administrativo y de organización del curso y, por fin, da por terminado el preámbulo técnico y pasa a tocar el tema de las tutorías.
–Ya sabéis que este rato semanal lo aprovecharemos para resolver los posibles conflictos que tengáis y también para debatir temas que os interesen. Estoy abierta a vuestras sugerencias.
Levanto la mano.
–¿Sí, Carlota?
–A mí me gustaría que habláramos de la inmigración.
Nadia, una chica que ha venido nueva este año al centro, también levanta la mano.
–Estoy totalmente de acuerdo. Yo, como afgana, creo que puedo aportar mucho al debate.
Un murmullo de aprobación empieza a crecer en el aula...
–Sí, sí.
–Este es un buen tema.
–Solomon también puede tener algo que decir.
–Pero ¿qué dices? –protesta Solomon. Yo soy de aquí.
–Pues para ser de aquí, eres bastante diferente a los demás.

Miro a Solomon, que es guapísimo: los cabellos muy negros y rizados, la piel muy oscura, los ojos de carbón y la nariz ancha.

–¡Qué gracioso! –dice Solomon. Como si no supieras que nací en Etiopía y que me adoptaron cuando tenía ocho meses. A los nueve meses ya estaba aquí con mi familia. Yo no soy inmigrante.

–Es verdad –dice Ana. No se te puede considerar inmigrante porque tu familia es de aquí, tienes la nacionalidad de aquí y tu cultura es la de aquí...

–¡Eh! Un momento, mi cultura es la de aquí, pero mi familia también ha querido que conozca cosas de mi cultura de origen.

Lo observamos admirados.

–Pues sí –dice él. Regularmente vamos a comer a un restaurante etíope que hay al lado de casa. Lo llevan un chico y una chica que vinieron de allí hace ya quince años. Mi familia dice que, cuando era pequeño, me lo pasé pipa con lo que me dieron. ¡Y eso que la comida era muy picante!

–Por supuesto.

–También conozco la música de mi país –continúa Solomon–. Y mi padre y mi madre me llevaron a visitar la ciudad donde nací: Góndar...

–Pues está muy bien que conozcas tus orígenes, pero, insisto, tú no eres un inmigrante.

–No. No lo soy.

–Yo lo que no entiendo es la diferencia entre emigrante e inmigrante –dice Eli.

–Pues, mira, es muy fácil. El verbo "migrar" quiere decir "ir de un lugar a otro".

Ana va hacia la pizarra y dice:

–Si ponemos delante la preposición latina ex, que quiere decir "de" o "desde", el verbo pasa a significar "irse de".

–O sea yo he emigrado de Kabul –dice Nadia– , la capital.

Ana continúa:

–Si delante del verbo ponemos la preposición latina in, que quiere decir "a" o "dentro", el verbo pasa a significar "venir a".

PREGUNTAS

13. La tutora, según el texto...
A) trabaja en la secretaría del centro.
B) es también profesora de lengua.
C) organiza las tutorías mensualmente.

14. En el texto se dice que el tema de la inmigración...
A) le interesa solo a una estudiante.
B) no lo conoce ninguno por experiencia propia.
C) despierta el interés general de la clase.

15. Según lo que se dice en el texto, Solomon...
A) no vive con su familia biológica.
B) tiene rasgos muy similares a sus compañeros.
C) le adoptaron con seis años.

16. Los padres de Solomon, según el texto...
A) le dieron la doble nacionalidad.
B) le ocultaron sus orígenes.
C) le han dado la oportunidad de conocer la cultura de su lugar de nacimiento.

17. Parte de su cultura Solomon la conoce, según el texto...
A) porque va regularmente al lugar donde nació.
B) a través de la gastronomía de su país de origen.
C) por algunos músicos que emigraron de Etiopía.

18. Según el texto, los conceptos inmigrante y emigrante...
A) son una cuestión de gramática.
B) son sinónimos.
C) se diferencian por la dirección de la migración.

TAREA 4

Instrucciones

Lee el texto y rellena los huecos (19-25) con la opción correcta (A, B o C).
*Marca las opciones elegidas en la **Hoja de respuestas**.*

EN PIE DE GUERRA: ¿PERIODISTA O ESCRITOR?

En pie de guerra: ¿periodista o escritor? es una experiencia de aprendizaje en la que docentes y _____19_____ 150 estudiantes de Educación Secundaria Obligatoria (ESO), de centros diferentes, se embarcaron en el reto de escribir y componer relatos o crónicas a partir de imágenes y emociones.

Para la tarea se recurrió al archivo fotográfico del Muséu del Pueblu d'Asturies de Gijón en cuyos fondos _____20_____ encontrarse algunos fragmentos de la memoria histórica común.

Uno de los objetivos fundamentales del proyecto didáctico era conseguir la _____21_____ y mejor competencia comunicativa, especialmente, en escritura creativa. Algunos trabajos, como el siguiente relato, nos reflejan el logro de este objetivo:

"_____22_____ cansado. Ese día me había levantado _____23_____ temprano preso de la tristeza. Ese día a mi padre le tocaba coger el tren para luchar en la guerra. Hasta que no vi el tren alejándose, no fui realmente consciente de que probablemente no le volvería a ver. Hasta ese momento, había albergado la esperanza de que no se fuera. Pero _____24_____ vi a mi padre despedirse desde la ventana del tren, _____25_____ que no había marcha atrás...".

Covadonga Álvarez García
3º ESO. IES Nº5. Avilés

(Adaptado de: http://blogs.elpais.com/escuelas-en-red/2015/06/en_pie_de_guerra_periodista_o_escritor.html)

OPCIONES

19.	A) más que	B) más de	C) más
20.	A) pueden	B) tienen	C) hay que
21.	A) menor	B) grande	C) mayor
22.	A) Era	B) Había	C) Estaba
23.	A) tanto	B) muy	C) mucho
24.	A) cuando	B) tras	C) mientras que
25.	A) comprendió	B) supe	C) realicé

PRUEBA DE COMPRENSIÓN AUDITIVA

La prueba de Comprensión auditiva contiene cuatro tareas. Debes responder a 25 preguntas.
Duración: 30 minutos.
*Marca tus opciones únicamente en la **Hoja de respuestas**.*

TAREA 1

 **Instrucciones**

Vas a escuchar siete conversaciones. Escucharás cada conversación dos veces. Después debes contestar a las preguntas (1-7). Selecciona la opción correcta (A, B o C).
*Marca las opciones elegidas en la **Hoja de respuestas.***

Ejemplo:

0. ¿Qué piensa comprarse al final el chico en la tienda de deportes?

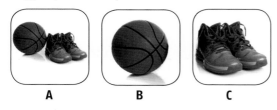

	A	B	C
0.			

La opción correcta es la **B**.

Ahora tienes 30 segundos para leer las preguntas.

CONVERSACIÓN 1

¿Qué han decidido regalarle a su madre?

CONVERSACIÓN 2

¿Cómo van a volver a casa las dos amigas?

CONVERSACIÓN 3

¿Quién es el nuevo profesor de Matemáticas?

CONVERSACIÓN 4

¿Qué taller elige para sus hijos?

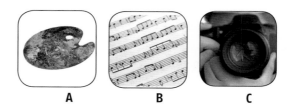

CONVERSACIÓN 5

¿Qué asignatura van a tener en común?

    A) Fránces.

    B) Ninguna.

    C) Educación plástica y visual.

CONVERSACIÓN 6

¿Qué va a hacer el chico?

    A) Ir a la enfermería.

    B) Descansar.

    C) Pedir permiso a la tutora.

CONVERSACIÓN 7

¿A qué lugar van a entrar?

    A) A una tienda de alimentación.

    B) A un cine antiguo.

    C) A una academia.

TAREA 2

 Instrucciones

Vas a escuchar siete mensajes, incluido el ejemplo. Cada mensaje se repite dos veces. Selecciona el enunciado (A–J) que corresponde a cada mensaje.

*Hay diez enunciados, incluido el ejemplo. Selecciona seis. Marca las opciones elegidas en la **Hoja de respuestas.***

Escucha ahora el **Ejemplo:**

Mensaje 0

La opción correcta es la **D.**

	A	B	C	D	E	F	H	I	J
0.				■					

	MENSAJES	ENUNCIADOS
	Mensaje 0	D
8.	Mensaje 1	
9.	Mensaje 2	
10.	Mensaje 3	
11.	Mensaje 4	
12.	Mensaje 5	
13.	Mensaje 6	

Ahora tienes 25 segundos para leer los enunciados.

ENUNCIADOS

    A. Se puede asistir a una actuación gratis.

    B. Anuncian algunas ofertas en sus servicios.

    C. Avisan sobre el retraso en la salida de un vuelo.

    D. Informan sobre el cierre de algunos colegios.

    E. Hay una fecha límite para los interesados en participar.

    F. Anuncian la inauguración de un restaurante.

    G. Dan algunas normas de uso.

    H. Dicen en qué estado se encuentran las instalaciones.

    I. Han comunicado el resultado de una selección.

    J. Algunas personas no van a poder viajar donde querían.

TAREA 3

 Instrucciones

Vas a escuchar una conversación entre dos amigos, Adriana y Miguel. Indica si los enunciados (14-19) se refieren a Adriana (A), Miguel (B) o a ninguno de los dos (C). Escucharás la conversación dos veces.

*Marque las opciones elegidas en la **Hoja de respuestas**.*

Ahora tienes 25 segundos para leer los enunciados.

	A. ADRIANA	B. MIGUEL	C. NINGUNO DE LOS DOS
0. Tiene que estudiar para los exámenes.			X
14. Quizás cambie de planes al final.			
15. Le van a pagar por ocuparse de alguien.			
16. No ha suspendido ninguna asignatura.			
17. Está libre una semana.			
18. Estuvo en Irlanda el año pasado.			
19. A finales de agosto va a descansar.			

TAREA 4

 **Instrucciones**

Vas a escuchar tres noticias. Después debes contestar a las preguntas (20-25). Debes seleccionar la opción correcta (A, B o C). La audición se repite dos veces.

*Marca las opciones elegidas en la **Hoja de respuestas**.*

Ahora tienes 30 segundos para leer las preguntas.

PRIMERA NOTICIA

20. En el II Premio de Microrrelatos, según la audición, se podrá participar...
A) hasta los 18 años.
B) con cualquier edad.
C) a partir de los 8 años.

21. En la audición se dice que...
A) habrá tres premios por categoría.
B) no habrá que escribir sobre un tema en concreto.
C) los premiados recibirán libros.

SEGUNDA NOTICIA

22. En Monterrey, según la audición, se hicieron campamentos de verano...
A) en diferentes parques públicos.
B) en los museos de la ciudad.
C) en todas sus bibliotecas públicas.

23. En la audición se dice que los talleres...
A) trataron también temás de interés social.
B) estaban divididos por edades.
C) no fueron muy variados.

TERCERA NOTICIA

24. En la audición se dice que la Fundación Ecomar...
A) tiene una revista que publica dos veces al año.
B) con su publicación acerca el mundo del mar a los niños.
C) lleva más de 18 años ocupándose de los océanos.

25. Según la audición, el programa Grímpola Ecomar...
A) muestra la importancia del voluntariado para el equilibrio del planeta.
B) recibirá a miles de niños de hasta 7 años.
C) también enseña la manera de navegar en alta mar.

PRUEBA DE EXPRESIÓN E INTERACCIÓN ESCRITAS

La prueba de Expresión e interacción escritas contiene dos tareas. Debes redactar dos textos.

Duración: 50 minutos.

*Haz tus tareas únicamente en la **Hoja de respuestas**.*

TAREA 1
PRUEBA DE EXPRESIÓN E INTERACCIÓN ESCRITAS

Instrucciones

Un amigo o amiga tuya está en casa con la pierna escayolada y te escribe un correo electrónico para saber cómo va todo en las clases. Lee su correo y contéstalo.

GUARDAR   RESPONDER

¡Hola!

¿Cómo estás? Ya se acercan los exámenes finales, así que me imagino que los profes están muy exigentes, ¿no? Espero poder ir pronto a clase porque lo de estar en casa todo el día y sin poder moverme mucho no es muy divertido. Cuéntame si hay alguna novedad o ha pasado algo interesante por clase. ¿Podrías pasarte por mi casa para informarme de lo que habéis hecho? También me gustaría mucho verte.

¡Contéstame pronto! Te espero con impaciencia.

Un abrazo,

Tu compa Emejota

En tu respuesta, no olvides:
- saludar,
- interesarte por su salud,
- contarle alguna anécdota sobre las clases, profesores o compañeros,
- decirle qué día puedes ir a su casa,
- despedirte.

Número de palabras recomendado: **entre 60 y 70.**

TAREA 2

Instrucciones

Elige solo una de las dos opciones que se te ofrecen a continuación:

OPCIÓN 1

Lee el siguiente anuncio publicado en el blog de tu escuela:

En la escuela queremos programar las actividades extraescolares para el próximo año escolar con vuestros gustos e intereses. ¿Has participado este año o en años anteriores en alguna actividad que te ha entusiasmado? ¡Compártela con nosotros!

Escribe un texto para el blog donde comentes:
- de qué actividad se trataba,
- con qué frecuencia la hacías,
- qué es lo que más te gustaba y por qué,
- alguna anécdota que sucedió durante alguna de las sesiones.

OPCIÓN 2

En la revista de tu colegio quieren publicar un número especial sobre el abismo generacional con nuestros mayores. Para ello, han organizado un concurso en el que darán un premio a las diez mejores composiciones.

Redacta un texto para enviar al concurso en el que cuentes:
- qué persona mayor es importante para ti y por qué,
- cómo es o era esa persona,
- algún dato sobre la vida de esa persona,
- cuáles son o eran vuestros temas de conversación,
- destaca una o dos diferencias entre vuestra forma de vida.

Número de palabras recomendado: **entre 110 y 130.**

PRUEBA DE EXPRESIÓN E INTERACCIÓN ORALES

La prueba de Expresión e interacción orales tiene una duración aproximada de 12 minutos y consta de cuatro tareas:

   *– **TAREA 1.** Describir una foto (1-2 minutos). Debes describir una fotografía, elegida entre dos opciones, siguiendo las pautas que se te dan.*

   *– **TAREA 2.** Dialogar en una situación simulada (2-3 minutos). Debes establecer un diálogo con el examinador siguiendo las instrucciones que te va a dar.*

   *– **TAREA 3.** Presentar un tema (2-3 minutos). Debes hablar sobre un tema que has elegido entre dos opciones.*

   *– **TAREA 4.** Entrevista a partir de la presentación (2-3 minutos). Debes contestar a las preguntas del entrevistador sobre el tema de la presentación.*

Tienes 12 minutos para preparar las tareas 1 y 3. Puedes tomar notas y escribir un esquema de tu exposición, que podrás consultar durante el examen, pero no puedes limitarte a leer el esquema.

TAREA 1. DESCRIPCIÓN DE UNA FOTO (OPCIÓN 1) PRUEBA DE EXPRESIÓN E INTERACCIÓN ORALES

DE EXCURSIÓN

Describe con detalle, durante uno o dos minutos, lo que ves en la foto. Estos son algunos aspectos que puedes comentar:

   – ¿Cómo son las personas que aparecen en la fotografía? Describe a alguna de ellas: el físico, el carácter que crees que tiene, la ropa que lleva...

   – ¿Dónde están esas personas? ¿Cómo es ese lugar? ¿Qué objetos hay?

   – ¿Qué relación crees que tienen esas personas? ¿Por qué?

   – ¿Qué crees que están haciendo en este momento? ¿Por qué?

   – ¿De qué crees que están hablando? ¿Por qué?

   – ¿Qué crees que va a pasar luego? ¿Y después?

TAREA 2. DIÁLOGO EN SITUACIÓN SIMULADA (OPCIÓN 1) PRUEBA DE EXPRESIÓN E INTERACCIÓN ORALES

DE EXCURSIÓN

En una semana, el centro de enseñanza donde estudias organiza una excursión a la montaña. No sabes si tu mejor amigo o amiga puede ir.

El examinador es tu mejor amigo. Habla con él siguiendo estas indicaciones.

Candidato:

Durante la conversación con tu amigo debes:

   – recordarle la excursión,

   – informarle sobre cuándo y adónde,

   – comentar qué vas a llevar contigo y preguntarle qué va a llevar él,

   – quedar para ir juntos ese día.

TAREA 1. DESCRIPCIÓN DE UNA FOTO (OPCIÓN 2)

FIN DE CURSO

Describe con detalle, durante uno o dos minutos, lo que ves en la foto. Estos son algunos aspectos que puedes comentar:

- ¿Cómo son las personas que aparecen en la fotografía? Describe a alguna de ellas: el físico, el carácter que crees que tiene, la ropa que lleva…
- ¿Dónde están esas personas? ¿Cómo es ese lugar? ¿Qué objetos hay?
- ¿Qué relación crees que tienen esas personas? ¿Por qué?
- ¿Qué crees que están haciendo en este momento? ¿Por qué?
- ¿Qué crees que va a pasar luego? ¿Y después?

TAREA 2. DIÁLOGO EN SITUACIÓN SIMULADA (OPCIÓN 2)

FIN DE CURSO

Dentro de dos días es la representación de la obra de teatro del cole y un compañero que participa en ella está muy nervioso. El examinador es tu compañero. Habla con él siguiendo estas indicaciones. Durante la conversación debes:

- preguntarle por la obra de teatro,
- interesarte por el papel de tu compañero y su estado de ánimo,
- darle algún consejo para el día de la representación,
- ofrecerte para repasar con él su papel,
- quedar en algún lugar y a una hora para hacerlo.

TAREA 3. PRESENTACIÓN DE UN TEMA (OPCIÓN 1)

Instrucciones

A continuación tienes un tema y unas instrucciones para realizar una exposición oral.

Tendrás que hablar durante dos o tres minutos. Al final, el examinador te hará unas preguntas sobre el tema.

TUS HÁBITOS ALIMENTICIOS

Incluye información sobre:

- si piensas que llevas una dieta sana y por qué,
- cuántas veces comes al día, a qué horas, dónde y qué predomina en tu alimentación,
- quién se encarga de tu alimentación normalmente y por qué,
- si le dan importancia a este tema tus familiares, tus profesores, tus compañeros o amigos y de qué manera,
- si tus habitos alimenticios son similares a los de tus compañeros y amigos y por qué.

No olvides:

- **diferenciar** las partes de tu exposición: comienzo, desarrollo y final,
- **ordenar y relacionar** bien las ideas,
- **justificar** tus opiniones y sentimientos.

TAREA 4. ENTREVISTA A PARTIR DE LA PRESENTACIÓN (OPCIÓN 1)

TUS HÁBITOS ALIMENTICIOS
Modelo de preguntas:
- ¿Desayunas habitualmente? ¿Y en qué consiste tu desayuno? Cuando desayunas fuera de casa, ¿qué tomas?
- ¿Qué otras comidas importantes haces durante el día? ¿Son variadas? ¿Qué comes habitualmente? ¿Y tomas frutas y verduras? ¿Cuáles prefieres?
- ¿Comes alguna vez comida rápida? ¿Y tus amigos? ¿Qué tipo de comida rápida y dónde?
- ¿Piensas que los jóvenes de hoy tienen problemas debidos a la alimentación? ¿Tú conoces a alguien que lo tenga?
- En tu país, ¿piensas que en general se da importancia a la alimentación? ¿Se hacen campañas en los colegios, en las ciudades o a través de los medios de comunicación? ¿Recuerdas alguna?
- ¿Piensas que en la generación de tus abuelos se comía mejor? ¿Por qué?

TAREA 3. PRESENTACIÓN DE UN TEMA (OPCIÓN 2)

Instrucciones

A continuación tienes un tema y unas instrucciones para realizar una exposición oral.
Tendrás que hablar durante dos o tres minutos. Al final, el examinador te hará unas preguntas sobre el tema.

¿A QUE LUGAR TE GUSTARÍA VOLVER O VISITAR DE NUEVO?
Incluye información sobre:
- qué lugar es y cuándo estuviste en él,
- cómo es y por qué te gustaría volver,
- cómo fuiste hasta allí y cuánto tiempo estuviste,
- qué hiciste allí y con quién estuviste.

No olvides:
- **diferenciar** las partes de tu exposición: comienzo, desarrollo y final,
- **ordenar** y relacionar bien las ideas,
- **justificar** tus opiniones y sentimientos.

TAREA 4. ENTREVISTA A PARTIR DE LA PRESENTACIÓN (OPCIÓN 2)

¿A QUE LUGAR TE GUSTARÍA VOLVER O VISITAR DE NUEVO?
Modelo de preguntas:
- ¿A qué lugares te gusta ir o qué te gusta visitar? ¿Por qué?
- Cuando quieres ir a un lugar, ¿cómo decides ir a él? ¿Te influyen las opiniones de la gente que conoces, de lo que has visto o leído o te gusta buscar en internet?
- Cuando decides ir a un lugar, ¿te gusta ir solo o con alguien? ¿Con quién? ¿Eres una persona que toma la iniciativa para ir a algún lugar o te gusta que sean los demás los que decidan? ¿Por qué?
- ¿Has estado en algún lugar al que no volverías? ¿Por qué? ¿Cuándo estuviste allí? ¿Con quién?
- ¿Se organizan en tu centro de enseñanza visitas a diferentes lugares? ¿A dónde habéis ido o qué habéis visitado?
- ¿Has estado en algún lugar fuera de tu país? ¿A cuál te gustaría ir? ¿Por qué?

PRUEBA DE COMPRENSIÓN DE LECTURA

Esta prueba contiene cuatro tareas. Debes responder a 25 preguntas.

Duración: 50 minutos. Marca tus opciones únicamente en la **Hoja de respuestas**.

TAREA 1

Instrucciones

Vas a leer seis textos en los que unos jóvenes hablan de sus gustos e intereses personales y diez propuestas de literatura juvenil que aparecen en la página de una conocida librería digital. Relaciona a los jóvenes (1-6) con los textos de propuestas literarias (A-J). HAY TRES TEXTOS QUE NO DEBES RELACIONAR.

*Marca las opciones en la **Hoja de respuestas**.*

	PERSONA	TEXTO
0.	VERÓNICA	E
1.	DAVID	
2.	CRISTINA	
3.	ISABEL	
4.	MARCOS	
5.	SORAYA	
6.	PEDRO	

0. VERONICA:
Tengo 12 años Soy una chica extrovertida y sociable. Me encantan las ciencias y la naturaleza. Mi grupo de amigas es imprescindible para mí.

1. DAVID:
Mi asignatura favorita es la Literatura. Me gustan sobre todo las historias de misterio y terror gótico. Me puedo leer un libro entero en un día, si me engancha.

4. MARCOS:
Tengo 16 años y me apasiona todo lo relacionado con la informática y las nuevas tecnologías. Otra de mis aficiones es jugar con la consola.

2. CRISTINA:
Tengo 14 años. Mis aficiones en el tiempo libre son leer y escuchar música. Toco varios instrumentos y me gusta grabar canciones en el móvil y colgarlas en internet.

5. SORAYA:
A mí me encantan las Matemáticas y los rompecabezas. También me gusta muchísimo leer y soy bastante aficionada a la pintura.

3. ISABEL:
Tengo un carácter soñador y romántico. Me gusta escribir lo que pienso y lo que siento porque estoy viviendo una etapa de muchos cambios a nivel personal.

6. PEDRO:
Tengo 15 años y desde siempre me ha gustado la Historia y entender el porqué de la situación actual que vivimos. Otra de mis aficiones es el cine.

Texto A

Historia de Sara
Ana Alonso

Los Ángeles, año 2055. Las marcas y el consumismo controlan una sociedad dominada por la imagen que choca con la personalidad de Sara. Sara escribe en un blog clandestino y ello pone en peligro su vida.

Texto B

Laberinto de juegos
Iván Babiano Nieto

Sin saber ni cómo ni por qué, una noche de tormenta te ves arrastrado al interior de un videojuego. Solo superando una serie de complicadas pruebas podrás salir de este laberinto de mundos virtuales y volver a casa. Pero, ¿volverás solo?

Texto C

Momentos emocionantes de la Historia de España
Fernando García de Cortázar

¿Y si un día encuentras un manuscrito misterioso oculto en un viejo libro? ¿Y si leyéndolo descubres que existe un pasadizo secreto que te permite viajar en el tiempo? Página a página, la Historia se irá abriendo ante ti y podrás oír, oler, ver, sentir, vivir, algunos de los momentos más emocionantes de nuestro pasado.

Texto D

Cosas que nunca pensaste que podrías hacer con tu móvil
VV. AA.

¿Sabes que hay una aplicación que convierte tu móvil en un ratón y te permite controlar el ordenador? ¿O que puedes ver en tiempo real la letra de una canción mientras la oyes en tu reproductor de música favorito? Descubre todas las posibilidades de tu móvil con esta rápida y súper interesante guía.

Texto E

Ejemplo

El Club de las Zapatillas Rojas 2
Ana Punset

Frida anuncia a Lucía, a Bea y a Marta una terrible noticia: ¡no puede ir al campamento de verano que tenían planeado! Pero las chicas harán cualquier cosa con tal de pasar juntas esos quince días de agosto… ¡El Club de las Zapatillas Rojas no se rinde fácilmente!

Texto F

El Príncipe de la Niebla
Carlos Ruiz Zafón

El nuevo hogar de los Carver está rodeado de misterio. Aún se respira el espíritu de Jacob, el hijo de los antiguos propietarios, que murió en extrañas circunstancias. Su muerte sólo empieza a aclararse con la aparición de un diabólico personaje: el Príncipe de la Niebla.

Texto G

Y decirte alguna estupidez, por ejemplo, te quiero
Martín Casariego Córdoba

Juan piensa que el amor es una estupidez, pero se enamora en secreto de una chica. Cuando la chica le propone robar unos exámenes, Juan no sabe decir que no. Este no solo es un relato de amor y aventuras, sino también la historia del paso de la adolescencia a la madurez.

Texto H

El cuaderno de hojas blancas
José María Merino

Santi nunca acaba sus tareas en el colegio y tiene que terminarlas en casa. Lo que le gusta es meterse bajo la mesa y soñar que está en una cueva, una nave espacial o un submarino. Pero sobre todo, dibujar en su cuaderno de hojas blancas, con el que vive sorprendentes aventuras.

Texto I

Play
Javier Ruescas

Leo y Aarón son hermanos, aunque muy diferentes entre sí. El primero es presumido y ambicioso; el segundo, tímido y reservado. Un día Leo descubre por casualidad en el ordenador de su hermano que este tiene talento para la música y ha escrito varias canciones. Decide publicarlas en internet y se convierten en un fenómeno de la red…

Texto J

365 enigmas y juegos de lógica
Miguel Capó Doç

¿Te gustan los desafíos? ¿Eres el rey de los enigmas? Abre este libro y prepárate para exprimir tu cerebro con 365 divertidos y estimulantes juegos de ingenio. Descubrirás los mejores acertijos, paradojas, ilusiones ópticas y problemas matemáticos.

TAREA 2

Instrucciones

Vas a leer tres textos de un foro de personas que hablan sobre los blogs en los que escriben. Relaciona las preguntas (7-12) con los textos (A, B o C).

*Marca las opciones elegidas en la **Hoja de respuestas.***

	PERSONA	A MARCOS	B IRENE	C MARÍA JOSÉ
7	¿Quién ha empezado a escribir en el blog hace poco tiempo?			
8	¿Quién quiere ayudar a sus lectores con propuestas de ocio de calidad?			
9	¿Quién no trabaja todavía?			
10	¿Quién piensa que es importante hacer ejercicio y comer bien?			
11	¿Quién cree que la gente debería tener un estilo personal?			
12	¿Quién ofrece consejos para conocer ciudades y lugares interesantes?			

A. Marcos

Mi blog se llama *Me gusta viajar, comer y dormir*. Debido a mi trabajo de enfermero, he aprendido a cambiar mi punto de vista sobre la vida y he decidido aprovechar todo lo posible mi tiempo. Por ello, cada vez que puedo hago una escapada, lógicamente, buscando y comparando las mejores ofertas, y sin descuidar la calidad de los lugares que visito.

Así nace la idea de crear esta página, para compartir mis viajes y mis opiniones. En ella encontrarás artículos sobre todo lo que tiene que ver con viajar, comer y dormir. Si buscas un sitio para conocer, un lugar al que viajar o una simplemente comida para disfrutar, mi blog puede darte la idea que necesitas para decidirte. Espero que mi página te ayude a elegir mejor, pero sobre todo, a pasarlo bien.

B. Irene

Soy la autora del blog *Mundo cambiante*, tengo 23 años y soy estudiante de Marketing. Llevo poco con el blog. En él hablo de marcas emergentes y diseñadores emprendedores. ¿Por qué? Estaba cansada de vestir como el resto, de salir a la calle y cruzarme con diez personas que llevan la misma ropa. Sí, claro que me gustan las cadenas multinacionales y por supuesto compro en ellas. Pero si encuentro algo actual, diferente y a buen precio, lo prefiero. Mi lema es "renuévate y sé la más exclusiva con las propuestas semanales que ofrezco en mi blog".

En mi sección de eventos, además, hablo de todos los planes que conozco relacionados con la moda en Madrid y Barcelona.

C. María José

Hola, me llamo María José y soy profesora de yoga en el centro YogaPlus. En mi blog *Destino Salud* busco la comunicación con mis lectores, personas preocupadas por su salud y por sus ganas de mejorar. En él encontrás una sección de nutrición que sirve para conocer la mejor manera de llevar una alimentación sana y equilibrada. La actividad física y el deporte es otro de los pilares del estilo de vida saludable; pero, igual que es importante moverse, lo es también el moverse bien para evitar lesiones. En el apartado de entrenamiento damos los mejores consejos. El estado anímico es otro factor fundamental para sentirnos bien. Y además de cuidarnos por dentro, no debemos olvidar cuidarnos por fuera. La sección de cuidados es un área refrescante que cumple ese objetivo.

(Textos adaptados de http://www.lavanguardia.com/participacion/tengo-un-blog)

TAREA 3

Instrucciones

Vas a leer un texto sobre Garbiñe Muguruza. Después debes contestar a las preguntas (13-18). Selecciona la respuesta correcta (A, B o C).

*Marca las opciones elegidas en la **Hoja de respuestas**.*

GARBIÑE MUGURUZA: SU VIDA DENTRO Y FUERA DE LAS PISTAS

Hoy vamos a conocer muchas cosas sobre Garbiñe Muguruza, su vida dentro y fuera de las pistas de tenis, sus manías, sus retos y sus rivales. Esta joven deportista hispano-venezolana hace un año derrotó a su ídolo, Serena Williams en Roland Garros y ahora quiere llevarse el campeonato y colocarse entre las diez mejores tenistas del mundo.

Garbiñe declara que desde adolescente supo que quería dedicarse al tenis y dejó de estudiar al acabar bachillerato para dedicarse en cuerpo y alma a este deporte. Hoy en día sólo piensa en jugar, jugar y jugar, no tiene otra cosa en la cabeza. Si tiene que decir algo negativo sobre su profesión, hace referencia a la soledad: "Hay que viajar mucho desde muy joven y eso te hace aislarte, pasas mucho tiempo sola y te vas distanciando de tus amigos".

Una anécdota muy curiosa fue el calvario que tuvo que vivir Garbiñe tras la operación de tobillo a la que tuvo que someterse. "Emocionalmente era muy duro, pasaba el tiempo y la mejoría era muy lenta, y eso me creaba una terrible ansiedad, hasta que a mi entrenador y a mí se nos ocurrió una idea: entrenar sentada."

Para sus rivales, Garbiñe tiene un estilo muy agresivo. Según la seleccionadora del equipo español de tenis femenino, Conchita Martínez, "coge la bola muy pronto y su envergadura le permite montarse en la bola y pegar dentro de la pista, plano y duro". Algo que le permitirá llegar a estar a la altura de las mejores del mundo, Serena Williams, Sharapova o Wozniacki. Ella misma se considera "una rusa vestida de española".

La tenista recuerda también sus partidos más memorables: "El que jugué en Australia en enero de 2014, después de mi larga convalecencia, que gané; y en junio de 2014 viví el día más importante de mi carrera cuando derroté a Serena Williams en Roland Garros.

Durante el partido me iba diciendo: no pienses, sigue jugando, vas muy bien, porque sabía que si me dejaba llevar por la emoción los nervios me traicionarían".

Con el saque como su punto fuerte gracias a la longitud de su brazo, Garbiñe tiene dos retos muy importantes a corto plazo, "el Mutua Madrid Open, el único torneo femenino de WTA que se celebra en mi país, y Roland Garros, donde espero hacer un gran papel". Para ello seguirá usando la música de David Guetta para motivarse antes de los partidos y hablándose a sí misma durante los mismos: "Tranquila, esto va bien, tira más a la derecha, ahora un buen saque…".

Algunas curiosidades sobre Garbiñe:

–Utiliza unas quince raquetas al año. No tira ninguna hasta que está totalmente rasgada.

–Mide 183 cm y calza un 42.

–Se salta la dieta (de vez en cuando) con el chocolate.

–La repostería es su *hobby* favorito.

–Le gusta el cine de acción y las comedias románticas. Le encanta Jennifer Aniston.

(Texto adaptado de www.ligabbva.com)

PREGUNTAS

13. Garbiñe Muguruza tiene nacionalidad…

A) venezolana.
B) rusa y española.
C) española y venezolana.

14. Garbiñe supo que quería dedicarse profesionalmente al tenis…

A) desde que era una adolescente.
B) desde que era una niña.
C) cuando empezó la universidad.

15. Vivió el momento más duro de su carrera…

A) cuando empezó a tener que viajar sola con frecuencia.
B) cuando perdió contra su ídolo Serena Williams.
C) cuando fue operada de un tobillo.

16. El estilo de juego de Garbiñe es…

A) plano, según su entrenador.
B) agresivo para sus rivales en la pista.
C) idéntico al de Sharapova.

17. Una de las técnicas que Garbiñe utiliza para motivarse antes de un partido es…

A) escuchar música de David Guetta.
B) hablar mucho consigo misma.
C) ver películas de Jennifer Aniston.

18. Indica otra de las pasiones de Garbiñe…

A) la cocina en general.
B) el cine y el teatro.
C) los dulces y los postres.

TAREA 4

Instrucciones

Lee el texto y rellena los huecos (19-25) con la opción correcta (A, B o C).
*Marca las opciones elegidas en la **Hoja de respuestas**.*

Tres maneras de descubrir tu vocación

¿Te has planteado _____19_____ cuál es tu vocación? ¿No sabes si lo que estás haciendo realmente te llena? ¿Quieres saber qué es aquello ____20____ lo que definitivamente has nacido?

Si ____21____ curiosidad y quieres desentrañar cuál es tu vocación, toma nota de estas técnicas:

✓ Pregunta en tu entorno familiar y de amistad qué cosas haces muy bien que ellos valoran. Y pregúntales también ____22____ hay algo que te haga destacar.

✓ Experimenta cada cosa que creas que podría ser tu vocación, ponlo en práctica y obsérvate a ti mismo en el tiempo. ¿Te hace vibrar, te emociona?

✓ Pregúntate a ti mismo qué trabajo serías ____23____ de hacer el resto de tu vida totalmente gratis.

Según vayas desentrañando cuál es tu vocación, para saber si ____24____ lo es, te tiene que hacer vibrar, te tiene que emocionar. No basta que el resto de personas ____25____ que eres un fenómeno haciendo esto o lo otro, si a ti no te emociona hacerlo.

(Texto adaptado de http://coachingymentoringparaprofesionales.com)

OPCIONES

19.	A) siempre	B) alguna vez	C) nunca
20.	A) para	B) por	C) sobre
21.	A) quieres	B) sientes	C) puedes
22.	A) que	B) qué	C) si
23.	A) posible	B) capaz	C) verdad
24.	A) de verdad	B) real	C) cierto
25.	A) va	B) sabe	C) vea

PRUEBA DE COMPRENSIÓN AUDITIVA

La prueba de Comprensión auditiva contiene cuatro tareas. Debes responder a 25 preguntas.
Duración: 30 minutos.
Marca tus opciones únicamente en la **Hoja de respuestas**.

TAREA 1

Instrucciones

Vas a escuchar siete conversaciones. Escucharás cada conversación dos veces. Después debes contestar a las preguntas (1-7). Selecciona la opción correcta (A, B o C).
Marque las opciones seleccionadas en la **Hoja de respuestas.**

Ejemplo:
0.¿Dónde va la chica el fin de semana?

A   B   C

La opción correcta es la **A.**

Ahora tienes 30 segundos para leer las preguntas.

CONVERSACIÓN 1

¿Qué prenda compra el chico?

A   B   C

CONVERSACIÓN 2

¿En qué deporte quedan plazas libres?

A   B   C

CONVERSACIÓN 3

¿Qué medio de transporte va a utilizar la chica en el viaje de fin de curso?

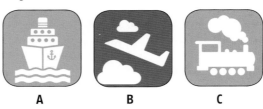

A   B   C

CONVERSACIÓN 4

¿Qué van a visitar los alumnos del instituto?

A   B   C

CONVERSACIÓN 5

¿Qué comió ayer el chico en el recreo?

    a) Un bollo.

    b) Un bocadillo.

    c) Un bocadillo y una manzana.

CONVERSACIÓN 6

¿Cuánto paga la chica por los dos billetes de autobús?

    a) 22 euros.

    b) 12 euros.

    c) 18 euros.

CONVERSACIÓN 7

¿Qué consejos da la mujer para la gripe?

    a) Dar un abrazo.

    b) Mejorarse.

    c) Hidratarse y descansar.

TAREA 2

 Instrucciones

Vas a escuchar siete mensajes, incluido el ejemplo. Cada mensaje se repite dos veces. Selecciona el enunciado (A–J) que corresponde a cada mensaje.

Hay diez enunciados, incluido el ejemplo. Selecciona seis.

*Marca las opciones elegidas en la **Hoja de respuestas**.*

Escucha ahora el **Ejemplo:**

Mensaje 0

	A	B	C	D	E	F	H	I	J
0.							▓		

La opción correcta es la **H**.

Ahora tienes 25 segundos para leer los enunciados.

Enunciados

    A) Ofrece una opción de comida rápida e informal.

    B) Anuncia un curso de psicología.

    C) Informa de la realización de actividades artísticas gratuitas.

    D) Ofrece descuentos si participas en grupo.

    E) Avisa de la inauguración de un punto de lectura.

    F) Puedes ganar un premio.

    G) Informan de que se van a realizar actividades de mantenimiento.

    H) Se realiza durante las vacaciones escolares.

    I) Es una escuela con mucha historia.

    J) Informa de la realización de corridas de toros.

	MENSAJES	ENUNCIADOS
	Mensaje 0	H
8.	Mensaje 1	
9.	Mensaje 2	
10.	Mensaje 3	
11.	Mensaje 4	
12.	Mensaje 5	
13.	Mensaje 6	

TAREA 3

 **Instrucciones**

Vas a escuchar una conversación entre dos amigos, Julia y Martín. Indica si los enunciados (14-19) se refieren a Julia (A), a Martín (B) o a ninguno de los dos (C). Escucharás la conversación dos veces.

*Marca las opciones elegidas en la **Hoja de respuestas**.*

Ahora tienes 25 segundos para leer los enunciados.

MENSAJES	A. JULIA	B. MARTÍN	C. NINGUNO DE LOS DOS
0. No se alegra de ver a la otra persona.			X
14. No ha vivido durante un mes en su residencia habitual.			
15. Tiene más de un sobrino.			
16. Ha estado haciendo un curso de inglés por internet.			
17. Le gustaría trabajar con ordenadores.			
18. No le gustan las cafeterías.			
19. No tiene miedo de los dentistas.			

TAREA 4

 **Instrucciones**

Vas a escuchar tres noticias. Después debes contestar a las preguntas (20-25). Debes seleccionar la opción correcta (A, B o C). La audición se repite dos veces.

*Marca las opciones elegidas en la **Hoja de respuestas**.*

Ahora tienes 30 segundos para leer las preguntas.

PRIMERA NOTICIA

20. Según la audición, el casting para la tercera edición del concurso...
   A) empezará en Navidad.
   B) empezará en septiembre y terminará en octubre.
   C) no se sabe cuándo terminará.

21. En la audición, se dice que para inscribirse en el concurso...
   A) hay que tener entre 8 y 13 años cumplidos.
   B) es necesaria la firma del padre o de la madre.
   C) es obligatorio tener experiencia.

SEGUNDA NOTICIA

22. Según la audición, la exposición interactiva...
   A) explica la relación que existe entre la creatividad y la ciencia.
   B) explica que no hay conexión entre la creatividad y la cultura.
   C) explica que Leonardo Da Vinci no sabía nadar.

23. En la audición se dice que...
   A) la entrada a la exposición no tiene límites.
   B) pueden acceder a la exposición un máximo de 25 personas.
   C) no pueden acceder a la exposición menos de 25 personas.

TERCERA NOTICIA

24. Según la audición, este festival...
   A) está dirigido a padres de hijos adolescentes.
   B) es de cine infantil.
   C) está dirigido a niños y a jóvenes.

25. En la audición se dice que el festival...
   A) hace sesiones de mañana y tarde.
   B) no ofrece actividades complementarias.
   C) dona el dinero de las entradas a la Asociación Tambor de Hojalata.

PRUEBA DE EXPRESIÓN E INTERACCIÓN ESCRITAS

Esta prueba consta de dos tareas. Debes redactar dos textos.

*Duración: 50 minutos. Redacta los textos en la **Hoja de respuestas.***

TAREA 1

Instrucciones

En tus últimas vacaciones has hecho un amigo español y los padres de ambos han organizado un viaje a Argentina para este verano. Tú quieres ir, pero tu amigo tiene dudas. Lee el mensaje de correo electrónico que te ha enviado y contéstale.

¡Hola!

Aquí estoy, preparando el examen de Mates... La verdad es que este año estoy un poco agobiado con los exámenes. No sé si conseguiré aprobar todo y eso significa que tendría que estudiar durante el verano. No sé si podré ir a Argentina con mis padres. ¡Me da tanta rabia! Aconséjame algo, por favor.

Un abrazo,

Alberto

En tu respuesta, no olvides:

   - saludar,
   - dar ánimos y algún consejoa a tu amigo,
   - intentar convencerle de que sería bueno para él hacer el viaje y explicarle el motivo,
   - despedirte.

   Número de palabras: **entre 60 y 70.**

TAREA 2

Instrucciones

Elige sólo una de las dos opciones que se te ofrecen a continuación.

OPCIÓN 1

En tu colegio han organizado un concurso de ideas solidarias y las propuestas de los alumnos van a ser publicadas en el blog escolar. A ti te gustaría hacer un mercado solidario.

Escribe tu propuesta y no olvides:
- decir por qué crees que tu idea puede tener éxito,
- comentar qué beneficios puede aportar a las personas,
- contar si has participado ya en proyectos de este tipo,
- hablar de lo importante que es ayudar a los demás.

OPCIÓN 2

En un foro juvenil diferentes chicos y chicas dan su opinión sobre los trastornos en la alimentación y la importancia de comer sano.

Escribe tu opinión sin olvidar:
- hablar de la importancia de llevar un estilo de vida saludable,
- decir si los estudios pueden afectar o no a tu manera de comer,
- comentar si te parece que tu alimentación es equilibrada,
- señalar qué alimentos son, en tu opinión, necesarios y cuáles hay que evitar.

Número de palabras: **entre 110 y 130.**

PRUEBA DE EXPRESIÓN E INTERACCIÓN ORALES

La prueba de Expresión e interacción orales tiene una duración aproximada de 12 minutos y consta de cuatro tareas:
- ***TAREA 1.*** *Describir una foto (1-2 minutos). Debes describir una fotografía, elegida entre dos opciones, siguiendo las pautas que se te dan.*
- ***TAREA 2.*** *Dialogar en una situación simulada (2-3 minutos). Debes establecer un diálogo con el examinador siguiendo las instrucciones que te va a dar.*
- ***TAREA 3.*** *Presentar un tema (2-3 minutos). Debes hablar sobre un tema que has elegido entre dos opciones.*
- ***TAREA 4.*** *Entrevista a partir de la presentación (2-3 minutos). Debes contestar a las preguntas del entrevistador sobre el tema de la presentación.*

Tienes 12 minutos para preparar las tareas 1 y 3. Puedes tomar notas y escribir un esquema de tu exposición, que podrás consultar durante el examen, pero no puedes limitarte a leer el esquema.

TAREA 1. DESCRIPCIÓN DE UNA FOTO (OPCIÓN 1)

EL REGALO PERFECTO

Describe con detalle, durante uno o dos minutos, lo que ves en la foto. Estos son algunos aspectos que puedes comentar:

- ¿Cómo son las personas que aparecen en la fotografía? Describe a alguna de ellas: el físico, el carácter que crees que tiene, la ropa que lleva…
- ¿Dónde están esas personas? ¿Cómo es ese lugar? ¿Qué objetos hay?
- ¿Qué relación crees que tienen esas personas? ¿Por qué?
- ¿Qué crees que están haciendo en este momento? ¿Por qué?
- ¿De qué crees que están hablando? ¿Por qué?
- ¿Qué crees que va a pasar luego? ¿Y más tarde?

TAREA 2. DIÁLOGO EN SITUACIÓN SIMULADA (OPCIÓN 1)

EL REGALO PERFECTO

Dentro de un par de semanas es el cumpleaños de tu mejor amigo, que es un apasionado de los animales.

El examinador es el amigo que va a cumplir años. Habla con él siguiendo estas indicaciones.

Candidato:

Durante la conversación con tu amigo debes:

- recordarle la proximidad de la fecha de su cumpleaños,
- preguntarle si ya sabe dónde va a celebrarlo,
- sugerirle alguna opción,
- preguntarle qué regalos le gustaría recibir,
- ofrecerte a ayudarle para organizar la fiesta.

TAREA 1. DESCRIPCIÓN DE UNA FOTO (OPCIÓN 2)

PREPARANDO EL EXAMEN DE MAÑANA

Describe con detalle, durante uno o dos minutos, lo que ves en la foto. Estos son algunos aspectos que puedes comentar:

- ¿Cómo son las personas que aparecen en la fotografía? Describe a alguna de ellas: el físico, el carácter que crees que tiene, la ropa que lleva…
- ¿Dónde están esas personas? ¿Cómo es ese lugar? ¿Qué objetos hay?
- ¿Qué relación crees que tienen esas personas? ¿Por qué?
- ¿Qué crees que están haciendo en este momento? ¿Por qué?
- ¿De qué crees que están hablando? ¿Por qué?
- ¿Qué crees que va a pasar luego? ¿Y más tarde?

TAREA 2. DIÁLOGO EN SITUACIÓN SIMULADA (OPCIÓN 1)

PREPARANDO EL EXAMEN DE MAÑANA

Mañana tu amigo tiene un examen muy importante pero cree que no está suficientemente preparado.
El examinador es tu amigo. Habla con él siguiendo estas indicaciones:

Candidato:

Durante la conversación con tu amigo debes:
- preguntarle si se siente preparado para el examen de mañana,
- darle ánimos y algún consejo general,
- interesarte por lo que tu amigo tiene dificultad para aprender,
- ofrecerte opara ayudarle a repasar antes del examen,
- quedar para estudiar juntos.

TAREA 3. PRESENTACIÓN DE UN TEMA

Instrucciones

A continuación tienes un tema y unas instrucciones para realizar una exposición oral.
Tendrás que hablar durante dos o tres minutos. Al final, el examinador te hará unas preguntas sobre el tema.

TUS MEJORES VACACIONES

Incluye información sobre:
- dónde las pasaste (pueblo, ciudad y país),
- con quién estabas,
- qué hicisteis o visitasteis,
- por qué fueron unas vacaciones especiales,
- a qué otros lugares te gustaría ir de vacaciones.

No olvides:
- **diferenciar** las partes de tu exposición: comienzo, desarrollo y final,
- **ordenar** y relacionar bien las ideas,
- **justificar** tus opiniones y sentimientos.

TAREA 4. ENTREVISTA A PARTIR DE LA PRESENTACIÓN (OPCIÓN 1)

TUS MEJORES VACACIONES
Modelo de preguntas:
- ¿Siempre vas de vacaciones con tu familia? ¿Sueles ir siempre al mismo lugar? ¿Alguna vez has ido de vacaciones con amigos o compañeros de clase?
- ¿Crees que cuando un chico o una chica va de vacaciones puede hacer amigos con los que relacionarse durante todo el año? ¿A ti te ha pasado? ¿Has podido mantener esa amistad durante todo el año? ¿Cómo se llamaba

esa persona? ¿Cómo era?

- Cuando te vas de vacaciones, ¿quién prepara tu maleta? ¿Cómo es tu maleta de las vacaciones, qué objetos o cosas no pueden faltar en ella? ¿Por qué?

- ¿A qué lugar no irías nunca de vacaciones? ¿Por qué?

- ¿Cómo te organizas con los deberes durante las vacaciones? ¿Cuándo los haces? ¿Crees que los deberes son necesarios durante las vacaciones? ¿Por qué?

TAREA 3. PRESENTACIÓN DE UN TEMA (OPCIÓN 2)   PRUEBA DE EXPRESIÓN E INTERACCIÓN ORALES

Instrucciones

A continuación tienes un tema y unas instrucciones para realizar una exposición oral.

Tendrás que hablar durante dos o tres minutos. Al final, el examinador te hará unas preguntas sobre el tema.

LAS REDES SOCIALES

Incluye información sobre:

- si estás en alguna red social o no,
- si tus amigos o compañeros de clase están en las redes sociales,
- cuáles son las cosas negativas y positivas de las redes sociales,
- cuál es la opinión de tus padres sobre las redes sociales,
- cuál es tu opinión sobre las redes sociales.

No olvides:

- **diferenciar** las partes de tu exposición: comienzo, desarrollo y final,
- **ordenar** y relacionar bien las ideas,
- **justificar** tus opiniones y sentimientos.

TAREA 4. ENTREVISTA A PARTIR DE LA PRESENTACIÓN (OPCIÓN 2)   PRUEBA DE EXPRESIÓN E INTERACCIÓN ORALES

LAS REDES SOCIALES

Modelo de preguntas:

- ¿Crees que todo se puede publicar en las redes sociales o hay cosas que no se deberían publicar? ¿Por qué?

- ¿Con qué frecuencia tú y/o tus amigos utilizáis las redes sociales? ¿Desde dónde crees que es mejor acceder a ellas (móvil, ordenador, tableta…)? ¿Por qué?

- ¿Utilizáis las redes sociales en el instituto para estudiar o hacer tareas que os manda el profesor? Si las utilizáis, ¿puedes contarme un ejemplo? Si no las utilizáis, ¿te gustaría hacerlo? ¿Por qué? ¿En qué asignaturas, según tú, pueden utilizarse las redes sociales para hacer trabajos de clase? ¿Por qué?

- ¿Qué opinas de las personas que utilizan las redes sociales para mentir o insultar a otras personas? ¿Por qué?

- ¿Crees que las redes sociales han cambiado la manera de relacionarse de las personas? ¿Por qué?

- ¿Cómo crees que se relacionaban las personas antes de inventarse las redes sociales? ¿Crees que se vivía mejor o peor? ¿Por qué?

- Imagina que tienes que vivir en una isla desierta sin internet y sin redes sociales. ¿Crees que te gustaría vivir así? ¿Por qué?

PRUEBA DE COMPRENSIÓN DE LECTURA

Esta prueba contiene cuatro tareas. Debes responder a 25 preguntas.
Duración: 50 minutos. Marca tus opciones únicamente en la Hoja de respuestas.

TAREA 1

Instrucciones

Vas a leer seis textos en los que unos jóvenes explican adónde les gustaría ir de vacaciones y diez anuncios de un folleto turístico, incluido el ejemplo. Relaciona a los jóvenes (1-6) con los anuncios (A-J). HAY TRES TEXTOS QUE NO DEBES RELACIONAR.

Marca las opciones en la Hoja de respuestas.

	PERSONA	TEXTO
0.	MARCOS	E
1.	EVA	
2.	CRISTINA	
3.	JUAN	
4.	IKER	
5.	SARA	
6.	LUIS	

0. MARCOS:
Me gustaría ir a una ciudad con mucha cultura, pero también quiero disfrutar de la playa y de la vida nocturna.

1. EVA:
Somos tres amigos de 18 a 22 años. Nos encanta el deporte y queremos ir de vacaciones a un lugar donde se puedan practicar diferentes deportes, preferiblemente en la montaña.

4. IKER:
Voy a ir de vacaciones con cuatro amigos y lo que queremos es descansar, mucho sol, mucha playa, chiringuitos y poca cosa más.

2. CRISTINA:
El año pasado hicimos una ruta grastronómica por el País Vasco y fue genial. Además de visitar lugares fantásticos comimos mejor que nunca. Este año nos gustaría hacer algo parecido.

5. SARA:
El año pasado hice un crucero con mi novio y nos encantó. La verdad es que yo pensaba que sería algo aburrido, pero lo pasamos muy bien y pudimos visitar tranquilamente varias ciudades.

3. JUAN:
Me encanta la Historia y cada verano visito alguna ciudad famosa por su pasado histórico. Ya he estado en Roma, Atenas... Este año aún no sé adónde iré.

6. LUIS:
En enero fui con mi familia a hacer una ruta de castillos y fortalezas por Navarra y me pareció muy interesante. Este verano me gustaría hacer lo mismo pero en algún país extranjero.

Texto A

RUTA DEL BUEN COMER

Alimentour te ofrece la posibilidad de realizar una forma de turismo diferente. Conoce ciudades y regiones españolas a partir de sus exquisitas especialidades culinarias.

☞ www.alimentour.es

Texto B

VACACIONES EN EL MAR.

Embárcate este verano en uno de nuestros buques y disfruta de todos los servicios que te ofrece Viajes Mediterráneo: conciertos, teatro, entretenimiento, siete restaurantes y dos discotecas. Todo ello al mejor precio.

☞ www.viajesmediterraneo.es

Texto C

FESTIVALES DE VERANO

¿Te gusta el rock, el pop y la música electrónica? Tenemos las vacaciones perfectas para ti. Viajes a medida (alojamiento con entradas) para los más famosos festivales de Inglaterra: Glastonbury, Isla de Wight, Rewind... Pasa un verano bailando al ritmo de tu música favorita.

☞ www.englandfestival.com

Texto D

Ejemplo

BARCELONA

Si lo que te interesa es la cultura pero tampoco quieres pasar una vacaciones sin dejar de ir a la playa o salir por la noche, Barcelona es tu ciudad: un destino turístico de primer orden con una oferta turística inmejorable.

☞ www.visitabarcelona.es

Texto E

ALEMANIA MEDIEVAL

Si quieres conocer Alemania de una manera diferente, este es tu viaje. Visita los castillos más bonitos del país germano pasando por Halle, Mosbach, Bayreuth o Kulmbach, entre otras localidades. Posibilidad de realizar rutas en moto, coche o autobús.

☞ www.visitacastillos.com

Texto F

PEDALEANDO

Si te gusta viajar sobre dos ruedas, te proponemos una ruta única, el Camino de Santiago en bicicleta. La mejor forma de aunar deporte, cultura e historia. Nosotros nos ocupamos de todo (alojamiento, comida, mantenimiento de la bicicleta, etc.). Infórmate en

☞ www.santiagoenbicicleta.com

Texto G

ALBERGUES

¿Quieres pasar unas vacaciones perfectas al mejor precio? Te preparamos tu viaje pernoctando en la red de albergues del estado. Una forma cómoda, práctica y económica para pasar las vacaciones en familia, en pareja o con amigos.

☞ www.albergues.es

Texto H

AVENTURA

¿Te gustan los deportes de riesgo y aventura? Pasa unos días en el Pirineo de Huesca practicando *kayak*, bicicleta de montaña, escalada, *trekking* y muchos deportes más. Llama ya al 6607948455 o consulta nuestra web

☞ www.huescaaventura.es

Texto I

EGIPTO

Conoce el país de los faraones y descubre los secretos de una de las civilizaciones más fascinantes de la historia. Visitas a El Cairo, Luxor, Giza, Menfis... Infórmate sobre este u otros destinos en:

☞ www.viajamas.es

Texto J

VACACIONES AL SOL

¿Eres una de esas personas que creen que vacaciones son sinónimo de sol y playa? Nosotros te preparamos el viaje perfecto al mejor precio. Más de cien destinos: Mediterráneo, Islas Baleares, Túnez, Turquía, Caribe, Polinesia... Contacta con nosotros en:

☞ www.solyplaya.es

TAREA 2

Instrucciones

Vas a leer tres textos de un foro de personas que hablan sobre el lugar donde viven. Relaciona las preguntas (7–12) con los textos (A, B o C).

Marca las opciones elegidas en la **Hoja de respuestas**

	PERSONA	A BERTA	B CLAUDIO	C ANA
7	¿A quién le gusta el ambiente internacional?			
8	¿Quién cree que su ciudad no es muy animada?			
9	¿Para quién los lugares pequeños son ideales para vivir?			
10	¿Quién está encantado/a con la meteorolgía de su ciudad?			
11	¿A quién no le gustan las metrópolis?			
12	¿Quién opina que su ciudad está un poco apartada de todo?			

A. BERTA

Yo vivo en Vitoria, en el País Vasco, una pequeña ciudad situada en el norte de España. La gente y los medios de comunicación suelen decir que es una de las ciudades con mayor calidad de vida del país. Es posible que tengan razón, es una ciudad tranquila, con buenos equipamientos y con buenas comunicaciones pero yo creo que es un lugar aburrido. No se organizan muchos eventos destinados a los jóvenes. Lo que sí me gusta es el clima, los inviernos son fríos y en verano no hace tanto calor como en otros lugares de España.

B. CLAUDIO

Me encanta vivir en Ibiza, es una isla que me da todo lo que necesito a día de hoy. Me gusta mucho el ambiente internacional y conocer a gente nueva e Ibiza en verano es el centro del mundo. Yo trabajo de camarero en una de las discotecas más famosas y eso, además, me permite pasar el invierno sin trabajar ya que es un empleo muy bien pagado. El verano lo paso aquí y en invierno viajo, hago algún curso o me voy a pasar temporadas a casa de mi familia, en Barcelona. En resumen, Ibiza lo tiene todo, es cosmopolita, puedes encontrar parajes naturales espectaculares y tiene un ambiente espectacular.

C. ANA

Yo nunca viviría en una gran ciudad. Estoy encantada de vivir en Teruel, es una ciudad pequeña, tiene unos 35 000 habitantes. De hecho es la capital de provincia más pequeña de España. Casi todos nos conocemos y el ambiente es muy acogedor. Además, está rodeada de naturaleza. El único punto negativo que le encuentro es lo mal comunicados que estamos. Para ir en coche a cualquier lugar hay que hacer un montón de kilómetros por carreteras secundarias. Sin embargo, el hecho de estar aislados también tiene sus cosas positivas, creo que esto nos ha dado un carácter especial.

TAREA 3

Instrucciones

Vas a leer un texto sobre el pintor español Juan Gris. Después, debes contestar a las preguntas (13–18). Selecciona la respuesta correcta (A, B o C).

*Marca las opciones elegidas en la **Hoja de respuestas.***

JUAN GRIS

José Victoriano González-Pérez, nombre real de Juan Gris, nació en Madrid en 1887, en el seno de una familia bien situada, lo que le permitió entrar gradualmente en un ambiente de clase media.

Entre 1904 y 1906 estudió en la Escuela de Artes y Manufacturas de Madrid y en el estudio de José Moreno Carbonero. Durante su adolescencia trabajó como ilustrador para revistas como *Blanco y Negro* o *Madrid Cómico*, además de ilustrar obras literarias y portadas. Su estilo en estos años recuerda al pintor francés Toulouse-Lautrec y a los pintores modernistas catalanes.

En 1906, para evitar entrar en el ejército y conocer vida artística, se trasladó a París, donde conoció a artistas como Pablo Picasso, Fernand Léger o Georges Braque. Vivió en un hostal del barrio de Montmartre durante unos diez años. En sus primeros años en la capital francesa trabajó para diferentes revistas como ilustrador.

Sus primeros intentos como pintor cubista son del año de 1910, cuando fue dejando poco a poco las labores de ilustración, aunque en los museos españoles existen pocos ejemplos de esta fase. El Museo Thyssen-Bornemisza posee un dibujo de 1911 que sorprende por su radicalidad. En 1912 Juan Gris da claramente el salto al cubismo con varias pinturas presentadas en el Salon des Indépendents de París. El verano de 1913 lo pasó en la población de Céret, donde empezó a trabajar la técnica del *papier coll*, consistente en combinar recortes de cartón y papel, en ocasiones obtenidos de periódicos, pegándolos sobre un lienzo y combinándolos con el óleo. Fue su principal aportación al cubismo.

Tras unos pocos años de estrecha relación, Juan Gris y Picasso se distanciaron tanto en lo artístico como en lo personal. Picasso fue evolucionando hacia un tipo de pintura figurativa de tipo clásico. Mientras, Juan Gris se mantuvo fiel al cubismo en una clave más colorista. Murió en 1927.

Al igual que otros cubistas y que el arte moderno en general, Juan Gris tuvo poca fama en los circuitos culturales españoles mientras vivió. Todavía décadas después de su muerte, su producción tenía escasísima presencia en los museos públicos. A partir de la década de 1980 diversos museos y colecciones emprendieron la adquisición de pinturas suyas, gracias a lo cual actualmente existen varios conjuntos importantes. Hay que destacar el generoso muestrario del Museo Reina Sofía y el grupo de obras reunido por la fundación de la compañía Telefónica, que se expone en un edificio de la Gran Vía madrileña. Existen además obras importantes de Juan Gris en el Museo Thysse-Bornemisza y en la Academia de San Fernando.

(Adaptado de www.wikipedia.org)

PREGUNTAS

13. Cuando era joven, Juan Gris...

    A. vendía revistas en Madrid.

    B. trabajaba en diversas publicaciones.

    C. copiaba a los pintores modernistas.

14. Según el texto, se trasladó a París...

    A. para aprender la lengua francesa.

    B. porque no quería entrar en el ejército.

    C. para conocer a Toulouse-Lautrec.

15. A partir de 1910 Juan Gris...

    A. empezó a abandonar la ilustración.

    B. trabajó para museos españoles.

    C. dejó de vivir en Francia.

16. En París, durante diez años...

    A. tuvo un negocio de hostelería.

    B. se hospedó en un hostal.

    C. mantuvo una fuerte amistad con Picasso.

17. La técnica del *papier coll* consiste en...

    A. copiar fragmentos de periódicos.

    B. representar la naturaleza en un lienzo.

    C. combinar pintura con otros elementos.

18. Según el texto, Juan Gris...

    A. fue famoso desde muy joven.

    B. tiene mucha presencia en museos franceses.

    C. fue reconocido tras su muerte.

TAREA 4

Instrucciones

Lee el texto y rellena los huecos (19-25) con la opción correcta (A, B o C).

*Marca las opciones elegidas en la **Hoja de respuestas**.*

REFRESCOS CASEROS

Muchos dietistas, armados de poderosas razones, dicen que los refrescos _____19_____ muy perjudiciales para la salud. Según ellos las bebidas azucaradas industriales son el máximo ejemplo de alimento nada recomendable, porque engordan y enganchan al azúcar _____20_____ aportar ningún beneficio nutricional y sí muchas calorías.

_____21_____ personajes como el cocinero inglés Jamie Oliver reclaman impuestos especiales similares a los del tabaco para la Coca-Cola, la Fanta o la Pepsi, las multinacionales que los producen intentan eludir su responsabilidad ante el _____22_____ de la obesidad en el mundo (la próxima vez que un anuncio suyo te diga que tienes que ponerte en forma, piensa que el mensaje forma parte de esa estrategia). Sin dejar de _____23____ el castigo fiscal de Oliver y de muchos otros, desde aquí propongo otra respuesta más local: preparar tus propios refrescos en casa con frutas de verdad.

La receta de hoy parte de la limonada clásica, _____24_____ la que quitamos el azúcar y añadimos dulzor con dos grandes amigos del limón: la sandía y la miel. Las burbujas, que consiguen que la sensación refrescante se multiplique en la boca y la garganta, las pone una simple agua con gas. Si preparas de más, no sufras porque éste pierda fuerza: la bebida se_____25_____ transformando en una limonada convencional.

Refrescos caseros con miel y limón
Mikel López Iturriaga

(Adaptado de http://elcomidista.elpais.com/elcomidista/2015/07/07/receta/1436296809_967934.html)

OPCIONES

19.	A) están	B) son	C) es
20.	A) sin	B) con	C) por
21.	A) Desde	B) Mientras	C) En cuanto
22.	A) disminución	B) aumento	C) subida
23.	A) ayudar	B) aportar	C) apoyar
24.	A) a	B) con	C) para
25.	A) irá	B) vaya	C) fue

PRUEBA DE COMPRENSIÓN AUDITIVA

La prueba de Comprensión auditiva contiene cuatro tareas. Debes responder a 25 preguntas.
Duración: 30 minutos.
*Marca las opciones elegidas en la **Hoja de respuestas**.*

TAREA 1

🎧¹³ **Instrucciones**

Vas a escuchar siete conversaciones. Escucharás cada conversación dos veces. Después debes contestar a las preguntas (1-7). Selecciona la opción correcta (A, B o C).
*Marca las opciones elegidas en la **Hoja de respuestas**.*

Ejemplo:

A	B	C

0. ¿Cómo ha llegado el chico al instituto?

La opción correcta es la B.

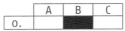

	A	B	C
0.		■	

Ahora tienes 30 segundos para leer las preguntas.

CONVERSACIÓN 1

¿Qué van a comer?

A   B   C

CONVERSACIÓN 2

¿A qué hora han quedado?

A   B   C

CONVERSACIÓN 3

¿Dónde ha estado el chico este verano?

A   B   C

CONVERSACIÓN 4

¿Qué le ha pedido el chico?

A   B   C

CONVERSACIÓN 5
¿Cómo es el piso de la chica?
- A) Pequeño y con balcón.
- B) Enorme y con tres habitaciones.
- C) Grande y con terraza.

CONVERSACIÓN 6
¿Qué quiere estudiar el chico?
- A) Lo mismo que estudió su padre.
- B) Lenguas extranjeras.
- C) Actuación e interpretación.

CONVERSACIÓN 7
¿Por dónde tiene que pasar el chico?
- A) Por un cruce.
- B) Por dos plazas.
- C) Por un puente.

TAREA 2

🎧 14 Instrucciones

Vas a escuchar siete mensajes, incluido el ejemplo. Cada mensaje se repite dos veces. Selecciona el enunciado (A–J) que corresponde a cada mensaje.

Hay diez enunciados, incluido el ejemplo. Selecciona seis. Marca las opciones elegidas en la **Hoja de respuestas.**

Escucha ahora el **ejemplo:**

Mensaje 0

	A	B	C	D	E	F	G	H	I	J
0.					■					

La opción correcta es la **E.**

Ahora tienes 25 segundos para leer los enunciados.

ENUNCIADOS

A) Anuncian un concurso literario.
B) Tienen plazas para cursos de japonés.
C) Ofrecen un regalo a los compradores.
D) Buscan gente con ganas de aprender a cocinar.
E) Se pueden aprender lenguas.
F) Ha olvidado algo en casa.
G) Regalan vacaciones gratuitas.
H) El tren llegará a las 14:15 h.
I) Enseñan a bucear.
J) Anuncian excursiones marítimas.

	MENSAJES	ENUNCIADOS
	Mensaje 0	E
8.	Mensaje 1	
9.	Mensaje 2	
10.	Mensaje 3	
11.	Mensaje 4	
12.	Mensaje 5	
13.	Mensaje 6	

TAREA 3

🎧 15 Instrucciones

Vas a escuchar una conversación entre dos amigos, Javi y Montse. Indica si los enunciados (14–19) se refieren a Javi (A), a Montse (B) o a ninguno de los dos (C). Escucharás la conversación dos veces.

Marca las opciones elegidas en la **Hoja de respuestas.**

Ahora tienes 25 segundos para leer los enunciados.

MENSAJES	A. JAVI	B. MONTSE	C. NINGUNO DE LOS DOS
0. Habla sobre lo que ha hecho esta semana.			X
14. Ha cobrado porque es final de mes.			
15. Le gusta el jazz.			
16. No le gusta la comida japonesa.			
17. Quiere cenar en un balcón.			
18. Invita a cenar esta noche.			
19. Conoce el restaurante adecuado.			

TAREA 4

(16) Instrucciones

Vas a escuchar tres noticias. Después debes contestar a las preguntas (20-25). Debes seleccionar la opción correcta (A, B o C). La audición se repite dos veces.

*Marca las opciones elegidas en la **Hoja de respuestas**.*

Ahora tienes 30 segundos para leer las preguntas.

PRIMERA NOTICIA

20. Según la audición, se encuentra en situación de alerta...
A) la zona este del Pirineo.
B) toda la comunidad autónoma.
C) el norte de Aragón.

21. En la audición se dice que las barbacoas...
A) se pueden hacer en zonas restringidas
B) se pueden hacer con un permiso especial.
C) no se pueden hacer.

SEGUNDA NOTICIA

22. Según la audición, la selección española...
A) es la máxima goleadora del campeonato.
B) se ha proclamado vencedora de una competición internacional.
C) ha perdido contra Italia.

23. En la audición se dice que el deporte femenino...
A) es muy popular.
B) atraviesa un gran momento.
B) no ha obtenido muy buenos resultados.

TERCERA NOTICIA

24. Según la audición el festival...
A) está dedicado a los grandes aventureros españoles.
B) es gratuito.
C) ya se celebró anteriormente.

25. En la audición se dice que, además de la proyección de películas...
A) habrá actividades paralelas.
B) se ha organizado un concurso de relatos.
C) se pueden ver exposiciones.

PRUEBA DE EXPRESIÓN E INTERACCIÓN ESCRITAS

La prueba de Expresión e interacción escritas contiene 2 tareas. Debes redactar dos textos.
Duración: 50 minutos.

Haz tus tareas únicamente en la **Hoja de respuestas.**

TAREA 1

Instrucciones

Un amigo te ha escrito para explicarte cómo es su nuevo piso y para invitarte a la fiesta de inauguración. Lee el correo y contéstale

---

●○○

¿Qué tal?

Espero que estés bien. Te escribo porque finalmente ya me he instalado en el piso nuevo. Es un piso grande, de tres habitaciones y muy céntrico. La verdad es que me encanta, es muy acogedor. El sábado por la noche haremos la fiesta de inauguración, te espero.

Por favor, dime si vas a venir. Necesito saber cuántas personas vendrán para organizarlo todo. Hasta pronto.

Javi

En tu respuesta, no olvides:

- saludar,
- agradecer la invitación,
- expresar tu alegría por la noticia,
- despedirte.

Número de palabras recomendado: **entre 60 y 70.**

TAREA 2

Instrucciones

Elige sólo una de las dos opciones que se te ofrecen a continuación:

OPCIÓN 1

En tu instituto han decidido publicar una página web para organizar competiciones deportivas y de ocio.

Redacta un texto para la web en el que deberás comentar:

- qué actividades se pueden organizar (competiciones, fiestas...),
- explicar qué deportes te gustan más y por qué,
- hablar sobre qué actividades de ocio prefieren los jóvenes de tu instituto o escuela.

OPCIÓN 2

Has leído un un artículo en un blog de Internet sobre las ventajas de la bicicleta frente al resto de medios de transporte y has decidido escribir tu opinión al respecto.

Escribe tu opinión y no olvides:
- explicar qué medios de transporte utilizas habitualmente,
- comentar cuáles son los medios de transporte más utilizados en tu lugar de residencia,
- explicar qué inconvenientes tiene la utilización del coche.

Número de palabras: **entre 110 y 130.**

PRUEBA DE EXPRESIÓN E INTERACCIÓN ORALES

La prueba de Expresión e interacción orales tiene una duración aproximada de 12 minutos y consta de cuatro tareas:
- TAREA 1. Describir una foto (1–2 minutos). Debes describir una fotografía, elegida entre dos opciones, siguiendo las pautas que se te dan.
- TAREA 2. Dialogar en una situación simulada (2–3 minutos). Debes establecer un diálogo con el examinador siguiendo las instrucciones que te va a dar.
- TAREA 3. Presentar un tema (2–3 minutos). Debes hablar sobre un tema que has elegido entre dos opciones.
- TAREA 4. Entrevista a partir de la presentación (2–3 minutos). Debes contestar a las preguntas del entrevistador sobre el tema de la presentación.
Tienes 12 minutos para preparar las tareas 1 y 3. Puedes tomar notas y escribir un esquema de tu exposición, que podrás consultar durante el examen, pero no puedes limitarte a leer el esquema.

TAREA 1. DESCRIPCIÓN DE UNA FOTO (OPCIÓN 1)   PRUEBA DE EXPRESIÓN E INTERACCIÓN ORALES

FIESTA DE CUMPLEAÑOS

Describe con detalle, durante uno o dos minutos, lo que ves en la foto. Estos son algunos aspectos que puedes comentar:
- Describe a alguna de las personas que están en la fiesta.
- ¿Cómo es la casa y las personas que están en ella?
- ¿De qué crees que están hablando? ¿Por qué?
- ¿Qué piensas que están celebrando?
- ¿Cómo crees que es la relación entre ellos?

TAREA 2 DIÁLOGO EN SITUACIÓN SIMULADA (OPCIÓN 1)

FIESTA DE CUMPLEAÑOS

Vas a hablar con un amigo porque queréis preparar una fiesta sorpresa para una amiga que cumple años. El examinador es tu amigo. Habla con él siguiendo estas indicaciones.

Candidato:

Durante la conversación con tu amigo debes:

- explicarle qué tipo de celebración queréis hacer,

- comentarle a qué gente te gustaría invitar y por qué,

- hablar sobre qué podéis regalarle entre todos.

TAREA 1 DESCRIPCIÓN DE UNA FOTO (OPCIÓN 2)

COMEDOR ESCOLAR

Describe con detalle, durante uno o dos minutos, lo que ves en la foto. Estos son algunos aspectos que puedes comentar:

- ¿Qué crees que hacen las personas que aparecen en la foto?

- ¿En qué lugar crees que se encuentran?

- ¿Qué objetos aparecen en la fotografía?

- ¿Cómo son las personas de la foto? Describe a alguna de ellas.

- ¿Qué relación hay entre ellos?

TAREA 2 DIÁLOGO EN SITUACIÓN SIMULADA (OPCIÓN 2)

COMEDOR ESCOLAR

Dentro de tres días finaliza el curso escolar. Vuestro profesor os comenta que se va a hacer una comida de final de curso especial en el comedor de la escuela y os pregunta qué os gustaría comer.

El examinador es tu profesor. Habla con él siguiendo las indicaciones.

Candidato:

Durante la conversación con tu profesor debes:

- explicarle qué te gustaría comer (comentando cuál sería el primer plato, el segundo plato y los postres),

- comentar por qué crees que tu elección es adecuada para una comida de fin de curso,

- preguntarle si esto se ha hecho anteriormente en la escuela y cuál fue el menú en aquella ocasión.

TAREA 3. PRESENTACIÓN DE UN TEMA (OPCIÓN 1)

Instrucciones

A continuación tienes un tema y unas instrucciones para realizar una exposición oral.

Tendrás que hablar durante dos o tres minutos. Al final, el examinador te hará unas preguntas sobre el tema.

¿CUÁL ES TU CIUDAD FAVORITA?

Incluye información sobre:
- dónde está,
- por qué te gusta,
- qué se puede hacer en ella,
- cómo es el clima y la gente de esta ciudad.

No olvides:
- **diferenciar** las partes de tu exposición: comienzo, desarrollo y final;
- **ordenar** y relacionar bien las ideas;
- **justificar** tus opiniones y sentimientos.

TAREA 4. ENTREVISTA A PARTIR DE LA PRESENTACIÓN (OPCIÓN 1)

¿CUÁL ES TU CIUDAD FAVORITA?

Modelo de preguntas:
- ¿Has viajado mucho en tu vida? ¿Has visitado muchas ciudades?
- ¿Qué ciudades te gustan más?
- ¿Cómo sería tu ciudad ideal? ¿Qué cosas debería haber en ella?
- ¿Cómo debería ser, físicamente, la ciudad? ¿Dónde debería estar situada? ¿cuántos habitantes tendría?
- ¿Prefieres la vida en una gran ciudad o te gusta más la tranquilidad de un pueblo o una ciudad pequeña?
- ¿Has visitado alguna ciudad y no te ha gustado nada? ¿Por qué?
- ¿Cómo es tu ciudad o pueblo? ¿Crees que es un buen lugar para vivir? ¿Cambiarías algo en él?

El entrevistador también puede solicitar al candidato que hable sobre algún punto del esquema que se le entregó para la preparación y que no haya abordado.

TAREA 3. PRESENTACIÓN DE UN TEMA (OPCIÓN 2)

Instrucciones

A continuación tienes un tema y unas instrucciones para realizar una exposición oral.
Tendrás que hablar durante dos o tres minutos. Al final, el examinador te hará unas preguntas sobre el tema.

¿CUÁL ES EL MEJOR ESPECTÁCULO AL QUE HAS IDO?

Incluye información sobre:
- dónde fue, con quién fuiste,
- qué clase de espectáculo era,
- por qué fue especial para ti,
- qué otros espectáculos te gustaría ver.

No olvides:
- **diferenciar** las partes de tu exposición: comienzo, desarrollo y final;
- **ordenar** y relacionar bien las ideas;
- **justificar** tus opiniones y sentimientos.

TAREA 4. ENTREVISTA A PARTIR DE LA PRESENTACIÓN (OPCIÓN 2)

¿CUÁL ES EL MEJOR ESPECTÁCULO AL QUE HAS IDO?

Modelo de preguntas:
- ¿Qué tipo de espectáculos te gusta? ¿Asistes a ellos regularmente? ¿Con quién?
- ¿Cuál fue el primer espectáculo al que fuiste? ¿Te gustó?
- ¿Compras mucha música? ¿Compras música en tiendas o la compras por internet? ¿Es habitual en tu país descargar música de forma ilegal? ¿Qué opinas de las descargas ilegales?
- ¿Has estado alguna vez en un circo? ¿Es popular en tu país?
- ¿A qué cantante te gustaría conocer? ¿Por qué?
- ¿Cuál fue la última vez que fuiste al teatro? ¿Cómo fue?
- ¿Conoces a algún actor, cantante o grupo español o de habla hispana?

El entrevistador también puede solicitar al candidato que hable sobre algún punto del esquema que se le entregó para la preparación y que no haya abordado.

PRUEBA DE COMPRENSIÓN DE LECTURA

Esta prueba contiene cuatro tareas. Debes responder a 25 preguntas.
Duración: 50 minutos. Marca tus opciones únicamente en la **Hoja de respuestas.**

TAREA 1

Instrucciones

Vas a leer seis textos en los que unos jóvenes universitarios hablan sobre aficiones deportivas y diez textos informativos sobre algunos deportes en diferentes universidades. Relaciona a los jóvenes (1–6) con los anuncios de las actividades deportivas (A–J). *HAY TRES TEXTOS QUE NO DEBES RELACIONAR.*

Marca las opciones elegidas en la **Hoja de respuestas.**

	PERSONA	TEXTO
0.	ARIS	G
1.	HUGO	
2.	LORENA	
3.	ROBERTO	
4.	MAMEN	
5.	FERRÁN	
6.	EDURNE	

0. ARIS:
A mí me gusta el baloncesto o algún deporte de equipo con canasta, pero no me gusta jugar solo con chicos.

1. HUGO:
Desde pequeño he estado entre tableros. Me encanta pensar en nuevas jugadas en busca del jaque mate. Sería fenomenal participar en algún campeonato universitario.

2. LORENA:
A mí me gustaría practicar algún deporte de equipo femenino con pelota, pero casi siempre son deportes de chicos y el fútbol no me gusta.

3. ROBERTO:
Yo he practicado muchos deportes, pero me gusta ir a mi aire. Me encanta correr, ir en bici o hacer un montón de largos en la piscina.

4. MAMEN:
Yo no puedo hacer muchas actividades deportivas ya que estoy en silla de ruedas por un accidente que tuve, pero me encantaría practicar algún deporte.

5. FERRÁN:
Yo he crecido al lado de un río y desde pequeño hacíamos nuestras propias balsas para competir. Me encanta remar por ríos y lagos.

6. EDURNE:
El deporte y yo nunca hemos sido muy compatibles, pero, eso sí, me encanta estar en forma acompañada de buena música.

Texto A

PIRAGÜISMO

¿Quieres sentir la piragua deslizarse suave y velozmente sobre el agua y la sensación de libertad al navegar en la naturaleza? El piragüismo es un deporte fascinante en el que se trabaja todo el cuerpo de una manera intensa y completa. Además, podrás participar en competiciones con otras universidades.

Texto B

TRIATLÓN

El triatlón es una actividad que combina tres disciplinas deportivas: carrera a pie, ciclismo y natación. Podrás practicarlo como una actividad recreativa y de ocio, pero si quieres dar un salto mayor, puedes seguir el camino de la competición.

¿Te animas?

Texto C

Ritmos latinos

Como los años anteriores, y dada la gran acogida de esta actividad, la universidad continúa organizando el Curso de Bailes Latinos. Con la participación en esta actividad puedes sumar horas para conseguir créditos deportivos. El baile es una manera excelente de estar en buena forma... ¡y pasarlo bien!

Texto D

SENDERISMO

¿Quieres disfrutar de los paisajes que no se pueden ver si no es caminando? Únete al Club de Senderismo de la universidad. Es una actividad deportiva no competitiva que requiere poco equipo y que se puede adaptar a todo tipo de estado físico. Las salidas son los fines de semana.

Texto E

VOLEY PLAYA MIXTO

Apúntate a nuestro divertido equipo de voley playa mixto en las instalaciones deportivas de la universidad. Anímate a pasar un rato diferente y divertido mientras conoces más gente disfrutando del deporte. Regístrate gratis en la web para participar en la actividad. Necesitamos mínimo ocho personas para gestionar la actividad.

Texto F

FRISBEE ULTIMATE O DISCO VOLADOR

¿Te gustan los juegos alternativos? Este te va a encantar. El *ultimate* recoge elementos del fútbol y del baloncesto, sustituyendo el balón por un disco volador. No hay árbitro por lo que este deporte se regula por el espíritu deportivo de cada jugador y equipo. Lo importante es divertirse jugando.

Texto G

Ejemplo

BALONKORF O *KORFBALL*

¿Que no lo conoces? Es un deporte de equipo de origen holandés similar, en muchos aspectos, al baloncesto. Los equipos están formados por cuatro hombres y cuatro mujeres. Esto convierte al *korfball* en uno de los pocos deportes mixtos que existen y el más popular entre ellos. Os esperamos.

Texto H

AJEDREZ

Ven a jugar al ajedrez y pronto podrás hacerle jaque al rey. Si por el contrario ya has tenido la experiencia de competir, únete al equipo de la universidad y represéntala en los torneos interuniversitarios. Diviértete y conoce a muchas otras personas que, como tú, quieren participar en esta batalla.

Texto I

RUGBY

Ven a practicar rugby femenino. En un mismo equipo hay jugadoras de todo tipo, altas o bajas, grandes o pequeñas, todas tienen un sitio en el campo. No es necesario tener experiencia previa ni conocimientos de ningún tipo. Tan solo hace falta tener muchas ganas de aprender.

Texto J

TIRO CON ARCO

¿No te animas porque tienes que gastar mucho dinero en el equipamiento? En nuestras instalaciones disponemos de todo lo necesario para que puedas iniciarte en este deporte. Además, su práctica ejercita los músculos, la concentración y el dominio visual. Pueden practicarlo personas con discapacidades motrices o movilidad reducida.

TAREA 2

Instrucciones

Vas a leer tres textos de jóvenes que tomaron una decisión importante. Relaciona las preguntas (7-12) con los textos (A, B o C).

*Marca las opciones elegidas en la **Hoja de respuestas**.*

		A. ROSA	B. MIGUEL	C. ARA
7.	¿Quién se ha dedicado exclusivamente a lo único que estudió?			
8.	¿Quién cambió una profesión por otra?			
9.	¿De quién no sabemos si tenía hermanos?			
10.	¿A quién le influyó más alguien de su familia en su profesión?			
11.	¿Quién compaginó los estudios universitarios con otros?			
12.	¿Quién empezó su nueva profesión desde cero?			

A. ROSA

Yo soy licenciada en Matemáticas porque mi familia no me apoyaba en la decisión que tomé de estudiar danza. Mi madre no veía en ello mucho futuro y me aconsejó, como era hija única, estudiar una carrera tradicional. Pero por ningún motivo dejé el baile, sino que lo complementé con el estudio. Además, al igual que mi madre, estudié cinco años piano, otro título que ha sido importante para mí. Al final formé una compañía de baile con la que viajé por Brasil, Argentina e Italia. A los 25 años tuve un accidente que me impidió bailar durante un tiempo y decidí crear mi propia academia de baile y desde entonces me dedico a enseñar danza y no Matemáticas. De hecho, nunca he ejercido como matemática.

(Adaptado de: http://www.comunicarte.cl/danza/la-vida-de-ana-baquedano-entre-los-numeros-y-la-danza/)

B. MIGUEL

A los 11 años, cuando estuve enfermo y no pude salir de casa durante 15 días, me aficioné a ver programas de cocina y me veía en algún momento de cocinero. Por desgracia la profesión no existía en mi país y el pensamiento de las familias estaba más enfocado a estudiar las carreras tradicionales. Como era hijo único, mis padres me apoyaban en todos mis proyectos y así estudié Arquitectura y Diseño de interiores, donde alcancé bastante éxito profesional. Yo seguía viendo progamas de cocina y cocinando, en plan casero, y además, quería buscar nuevas experiencias. Abandoné el diseño y empecé a trabajar en las cocinas de todo tipo de restaurantes, desde abajo, y finalmente obtuve mi título en Gastronomía.

(Adaptado de: http://www.bubok.es/autores/miguelxaviermonar)

C. ARA

Mi padre era violinista y me transmitió el amor por el violín desde que nací. A los 7 años empecé a tocarlo con regularidad y a los 15 dejé mi país para estudiar música en Alemania. Fue duro porque me fui yo solo, sin conocer a nadie, ni saber el idioma. Me costó adaptarme pero ahora pienso en la suerte que tuve. Años después me establecí en Madrid. Había roto con mi pareja y se me había quemado mi casa en Alemania. Perdí todo menos mi violín. Yo ya había venido algunas veces a hacer varios conciertos a España y me había gustado mucho. Así que, en el verano del 98, decidí quedarme un tiempo, y hasta ahora.

(Adaptado de: http://www.madridiario.es/noticia/232194/cultura-y-ocio/ara-malikian:-nunca-me-he-planteado-que-seria-mi-vida-sin-el-violin.html)

TAREA 3

Instrucciones

Vas a leer un texto sobre la escritora española Gloria Fuertes. Después, debes contestar a las preguntas (13–18). Selecciona la respuesta correcta (A, B o C).

*Marca las opciones elegidas en la **Hoja de respuestas.***

APUNTE BIOGRÁFICO DE GLORIA FUERTES

Gloria Fuertes nació el 28 de julio de 1917 en el madrileño barrio de Lavapiés en una familia humilde. Su madre era costurera y su padre, bedel, por lo que la familia cambió varias veces de residencia en Madrid.

A los tres años ya sabía leer y a los cinco escribía cuentos y los dibujaba. Sus primeras lecturas fueron el *TBO* y los cuentos de Pinocho, ya que le asustaba Blancanieves, allí muerta, y le parecía un horror que a Caperucita se la comiera el lobo.

Su madre la matriculó en el Instituto de Educación Profesional de la Mujer en asignaturas como Cocina, Puericultura o Corte y Confección, pero ella no quería ser ni modista, como su madre, ni niñera, porque no quería servir a nadie, en todo caso quería servir a todos, así que también se matriculó en Gramática y Literatura.

Escribió sus primeros versos a los 14 años. Aunque sus lecturas de juventud fueron los poemas de Bécquer o Rubén

Darío, lo que más le influyó a la hora de escribir fue la Guerra Civil. Una vez acabada la guerra comenzó a relacionarse con el mundo de las letras en diferentes revistas. De las primeras cosas que publicó fueron unas historietas de una niña de 9 años llamada Coletas.

Gloria Fuertes combinó perfectamente su faceta infantil con la poesía social de adultos. Para escribir poesía infantil «se hacía niño», tenía que estar contenta y graciosa, imaginativa y fantástica, en cambio si tenía algún problema la poesía resultante era la del lector adulto. Nunca utilizaba palabras que tuviera que buscar en el diccionario, su lenguaje era claro, sencillo y llano como ella misma.

Entre 1955-1960 estudió Biblioteconomía e Inglés en el International Institute. Allí conoció a Phillys Turnbull, una de sus mejores amigas. Gracias a ella en 1961 obtuvo la beca Fullbright para dar clases de Literatura Española en la Universidad de Bucknell (Pensilvania) hasta 1963. Cuando volvió a España impartió clases de español a americanos en el Instituto Internacional.

En la década de los 60 publicó algunas de sus obras más conocidas y a partir de los 70 empezó a vivir por y para la literatura. También entonces comenzó a colaborar activamente en diversos programas infantiles de TVE, como *Un globo, dos globos, tres globos* y en *La cometa blanca* a partir de 1982 convirtiéndose así definitivamente en la poeta de los niños.

Toda su poesía habla de la realidad que vivía y de cómo la vivía. Relataba su vida, pero tapando las miserias con el humor, que lo utilizaba como mecanismo de defensa y mezclaba la rabia y la preocupación con la dulzura y la alegría.

Cuando Gloria ya conocía la gravedad de su enfermedad le preguntaron que qué tal estaba y ella contestó «Estoy a solas con Dios y mi dolor», pero no estuvo sola ni un minuto, siempre había alguien con ella, incluso cuando murió el 27 de noviembre de 1998 estaba rodeada de sus amigos íntimos, los que siempre estuvieron ahí.

(Adaptado de: http://www.cervantesvirtual.com/portales/gloria_fuertes/autora_apunte/)

PREGUNTAS

13. En el texto se dice que la escritora...
A) vivió en la misma casa durante su infancia.
B) venía de una familia con dinero.
C) de pequeña tenía miedo de algunas historias.

14. Según lo que dice el texto, Gloria Fuertes...
A) no quiso seguir los pasos de su madre.
B) leía poesía desde los 14 años.
C) empezó a escribir historietas a los 9 años.

15. La poesía de la escritora, en relación con lo que dice el texto, era...
A) algo infantil.
B) el resultado de su estado personal.
C) de lenguaje complicado.

16. Según el texto, parte del currículum de la escritora incluye...
A) enseñar su idioma a extranjeros.
B) la enseñanza del inglés.
C) una beca de estudios fuera de España.

17. Gloria Fuertes fue más conocida entre los niños, según el texto, sobre todo...
A) en la década de los sesenta.
B) por la fama de sus escritos.
C) gracias a la televisión.

18. En la etapa final de su vida el texto dice que...
A) escribía sobre la soledad.
B) estuvo muy enferma.
C) la abandonaron sus amigos.

TAREA 4

Instrucciones

Lee el texto y rellena los huecos (19-25) con la opción correcta (A, B o C).
*Marca las opciones elegidas en la **Hoja de respuestas**.*

SERGIO ARAGONÉS: EL DIBUJANTE MÁS RÁPIDO DEL MUNDO

La revista MAD es la publicación de humor más importante del mundo y la más imitada. Y una de sus grandes estrellas es, _____19_____ más de cincuenta años, el español Sergio Aragonés.

En 1962 se fue a Nueva York sin saber inglés y con solo 20 dólares en el bolsillo. Allí fue a la revista MAD. A su director, Bill Gaines, le gustó _____20_____ trabajo y le compró una historieta, pero le dijo que no tenían espacio para nuevos dibujantes, que lo único que había libre _____21_____ los márgenes. Sergio volvió dos horas después con sus dibujos adaptados a los márgenes de la revista, dando origen a sus "marginales" que, hoy en día, siguen publicándose. Los dibujos de Sergio han aparecido en todos los números de la revista desde 1963 _____22_____ en un número porque se perdió el correo. Su éxito fue inmediato y su fama no dejó de crecer. Hoy en día se _____23_____ considera el dibujante más rápido del mundo.

El mayor éxito de Sergio es Groo, una parodia de Conan nacida en 1982: "Desde muy joven me _____24_____ los libros de aventuras y siempre quise tener mi _____25_____ personaje. De pequeño leí las novelas de Conan, de Robert E. Howard, y siempre pensé en un bárbaro idiota... ¡y de ahí nació Groo!".

(Adaptado de: http://www.rtve.es/noticias/20121226/sergio-aragones-humor-como-todas-artes-mejora-se-enriquece-tiempo/592256.shtml)

OPCIONES

19.	A) desde hace	B) desde	C) unos
20.	A) lo	B) suyo	C) su
21.	A) fueron	B) eran	C) estaban
22.	A) además	B) incluso	C) excepto
23.	A) le	B) lo	C) la
24.	A) gustó	B) gustaba	C) gustaron
25.	A) mismo	B) propio	C) tal

PRUEBA DE COMPRENSIÓN AUDITIVA

La prueba de Comprensión auditiva contiene cuatro tareas. Debes responder a 25 preguntas.

Duración: 30 minutos.

Marca tus opciones únicamente en la **Hoja de respuestas**.

TAREA 1

🎧¹⁷ Instrucciones

Vas a escuchar siete conversaciones. Escucharás cada conversación dos veces. Después debes contestar a las preguntas (1–7). Selecciona la opción correcta (A, B o C).

Marca las opciones elegidas en la **Hoja de respuestas.**

Ejemplo:

0. ¿Qué regalo quiere el chico por haber aprobado la selectividad?

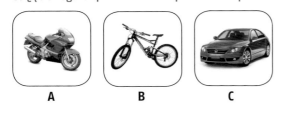

	A	B	C
0.			

La opción correcta es la **A**.

Ahora tienes 30 segundos para leer las preguntas.

CONVERSACIÓN 1

¿Qué instrumento le sugiere la chica que aprenda a tocar?

A   B   C

CONVERSACIÓN 2

¿Dónde van a quedar?

A   B   C

CONVERSACIÓN 3

¿Qué hizo la mujer la noche anterior?

A   B   C

CONVERSACIÓN 4

¿Qué pedido le han entregado a domicilio?

A   B   C

CONVERSACIÓN 5

¿Con qué descuento ha comprado las zapatillas de deporte?

    A) 40%.

    B) 38%.

    C) 36%.

CONVERSACIÓN 6

¿Dónde va a ir inmediatamente después de irse de España?

    A) A México.

    B) A Bélgica.

    C) A Francia.

CONVERSACIÓN 7

¿Cuántas horas a la semana de Dibujo Artístico son obligatorias?

    A) 1.

    B) 2.

    C) 3.

TAREA 2

🎧 Instrucciones

Vas a escuchar siete mensajes, incluido el ejemplo. Cada mensaje se repite dos veces. Selecciona el enunciado (A–J) que corresponde a cada mensaje.

*Hay diez enunciados, incluido el ejemplo. Selecciona seis. Marca las opciones elegidas en la **Hoja de respuestas**.*

Escucha ahora el **Ejemplo:**

Mensaje 0

La opción correcta es la **H.**

	A	B	C	D	E	F	H	I	J
0.							■		

Ahora tienes 25 segundos para leer los enunciados.

	MENSAJES	ENUNCIADOS
	Mensaje 0	H
8.	Mensaje 1	
9.	Mensaje 2	
10.	Mensaje 3	
11.	Mensaje 4	
12.	Mensaje 5	
13.	Mensaje 6	

ENUNCIADOS

    A. Será una actuación sin mucho ruido.

    B. Hay una fecha límite para la participación.

    C. Avisan sobre la cancelación de una cita.

    D. La entrada será libre.

    E. Informan a una persona de que tiene que ser atendida más tarde.

    F. Ofrecen precios más baratos en determinadas fechas.

    G. Anuncian un actuación para gente con problemas.

    H. Se puede practicar sin tener experiencia.

    I. No es gratis la comida que van a preparar.

    J. El horario ofrecido es limitado.

TAREA 3

 **Instrucciones**

Vas a escuchar una conversación entre dos antiguos compañeros, Susana y Antón. Indica si los enunciados (14-19) se refieren a Susana (A), a Antón (B) o a ninguno de los dos (C). Escucharás la conversación dos veces.

*Marca las opciones elegidas en la **Hoja de respuestas**.*

Ahora tienes 25 segundos para leer los enunciados.

	A. SUSANA	B. ANTÓN	C. NINGUNO DE LOS DOS
0. Su aspecto ahora es diferente.		X	
14. Uno de sus padres vive en el extranjero.			
15. Va a estudiar solo un idioma.			
16. No ha decidido su futuro académico.			
17. Uno de sus padres es de otro país.			
18. Ha completado los estudios de un idioma.			
19. Quiere estudiar fuera de España.			

TAREA 4

 **Instrucciones**

Vas a escuchar tres noticias. Después debes contestar a las preguntas (20-25). Debes seleccionar la opción correcta (A, B o C). La audición se repite dos veces.

*Marca las opciones elegidas en la **Hoja de respuestas**.*

Ahora tienes 30 segundos para leer las preguntas.

PRIMERA NOTICIA

20. Según la audición "Hazla por tu playa" es una campaña...
A) organizada por la universidad.
B) que no se realiza por primera vez.
C) en la que colaboran los bañistas.

21. En la audición se dice que los voluntarios...
A) dedicarán un día a la campaña.
B) pueden inscribirse en la página de la universidad.
C) prestarán su ayuda desde las siete de la mañana.

SEGUNDA NOTICIA

22. Según la audición, el proyecto sobre pueblos abandonados...
A) será en cuatro pueblos diferentes.
B) se realizará en los meses de verano.
C) está dirigido a jóvenes estudiantes.

23. En la audición se dice que...
A) todos los gastos están incluidos.
B) hay que inscribirse en línea.
C) se pueden presentar varias solicitudes.

TERCERA NOTICIA

24. En la audición se dice que el programa 12 Lunas...
A) se realiza por primera vez.
B) ofrece solo actividades nocturnas.
C) dura tres meses.

25. Según la audición, entre las actividades propuestas habrá...
A) recorridos por la ciudad patinando.
B) deportes acuáticos en el río.
C) proyección de películas clásicas.

PRUEBA DE EXPRESIÓN E INTERACCIÓN ESCRITAS

Esta prueba consta de dos tareas. Debes redactar dos textos.

*Duración: 50 minutos. Redacta los textos en la **Hoja de respuestas.***

TAREA 1

Instrucciones

Un estudiante escribe un mensaje en un foro porque su clase quiere hacer un viaje de fin de estudios y no saben a qué lugar ir. Lee el mensaje y contesta.

Hola.
Este año queremos hacer un viaje de fin de estudios y no sabemos muy bien adónde ir. Tenemos 18 años y queremos hacer el viaje a finales de junio después de los exámenes. ¿Nos podéis proponer algún sitio donde haya posibilidades de pasarlo bien y también conocer lugares interesantes?
¡Gracias!

En tu respuesta, no olvides:
- saludar,
- decir de dónde eres,
- comentar el lugar que propones para el viaje,
- describir qué tiene de interesante el lugar y cómo pueden pasarlo bien,
- despedirte.

Número de palabras recomendado: **entre 60 y 70.**

TAREA 2

Instrucciones

Elige solo una de las dos opciones que se te ofrecen a continuación:

OPCIÓN 1

En un blog sobre libros quieren saber qué leen los jóvenes de hoy para saber si es cierto eso de que la juventud actual no lee.

Escribe un texto para el blog donde comentes:
- tu edad y estudios,
- tus hábitos de lectura: qué lees, cuándo y dónde,
- un libro que te haya gustado mucho y por qué,
- tu opinión sobre qué suelen leer los jóvenes de tu edad.

OPCIÓN 2

Tu escuela participa en un proyecto titulado "Diseñando ciudades para jóvenes" y han pedido a los alumnos que escriban una composición sobre cómo debería ser una ciudad ideal para jóvenes.

Redacta un texto en el que cuentes:
- en qué ciudad o pueblo vives,
- si es un lugar en la que pueden disfrutar los jóvenes y por qué,
- qué espacios y actividades hay para los jóvenes y si son suficientes,
- cómo debería ser y qué debería ofrecer, según tu opinión, una ciudad para jóvenes,
- si conoces alguna ciudad que consideras ideal para los jóvenes.

Número de palabras recomendado: **entre 110 y 130.**

PRUEBA DE EXPRESIÓN E INTERACCIÓN ORALES

La prueba de Expresión e interacción orales tiene una duración aproximada de 12 minutos y consta de cuatro tareas:
- *TAREA 1. Describir una foto (1-2 minutos). Debes describir una fotografía, elegida entre dos opciones, siguiendo las pautas que se te dan.*
- *TAREA 2. Dialogar en una situación simulada (2-3 minutos). Debes establecer un diálogo con el examinador siguiendo las instrucciones que te va a dar.*
- *TAREA 3. Presentar un tema (2-3 minutos). Debes hablar sobre un tema que has elegido entre dos opciones.*
- *TAREA 4. Entrevista a partir de la presentación (2-3 minutos). Debes contestar a las preguntas del entrevistador sobre el tema de la presentación.*

Tienes 12 minutos para preparar las tareas 1 y 3. Puedes tomar notas y escribir un esquema de tu exposición, que podrás consultar durante el examen, pero no puedes limitarte a leer el esquema.

TAREA 1. DESCRIPCIÓN DE UNA FOTO (OPCIÓN 1)

EDUCACIÓN FÍSICA

Describe con detalle, durante uno o dos minutos, lo que ves en la foto. Estos son algunos aspectos que puedes comentar:
- ¿Cómo son las personas que aparecen en la fotografía? Describe a alguna de ellas: el físico, el carácter que crees que tiene, la ropa que lleva…
- ¿Dónde están esas personas? ¿Cómo es ese lugar? ¿Qué objetos hay?
- ¿Qué relación crees que tienen esas personas? ¿Por qué?
- ¿Qué crees que están haciendo en este momento? ¿Por qué?
- ¿De qué crees que están hablando? ¿Por qué?
- ¿Qué crees que va a pasar luego? ¿Y más tarde?

TAREA 2. DIÁLOGO EN SITUACIÓN SIMULADA (OPCIÓN 1)

EDUCACIÓN FÍSICA

El fin de semana que viene vas a participar en las competiciones deportivas de tu escuela y se lo cuentas a un amigo que te has encontrado.

El examinador es tu amigo. Habla con él siguiendo estas indicaciones.

Candidato:

Durante la conversación con tu amigo debes:
- informarle sobre las diferentes competiciones que va a haber,
- comentarle en qué vas a participar tú y por qué,
- explicarle la importancia de participar en este tipo de competiciones,
- invitarle a ver algunas de las competiciones.

TAREA 1. DESCRIPCIÓN DE UNA FOTO (OPCIÓN 2)   PRUEBA DE EXPRESIÓN E INTERACCIÓN ORALES

COCINANDO

Describe con detalle, durante uno o dos minutos, lo que ves en la foto. Estos son algunos aspectos que puedes comentar:

- ¿Cómo son las personas que aparecen en la fotografía? Describe a alguna de ellas: el físico, el carácter que crees que tiene, la ropa que lleva…
- ¿Dónde están esas personas? ¿Cómo es ese lugar? ¿Qué objetos hay?
- ¿Qué relación crees que tienen esas personas? ¿Por qué?
- ¿Qué crees que están haciendo en este momento? ¿Por qué?
- ¿De qué crees que están hablando? ¿Por qué?
- ¿Qué crees que va a pasar luego? ¿Y más tarde?

TAREA 2. DIÁLOGO EN SITUACIÓN SIMULADA (OPCIÓN 2)   PRUEBA DE EXPRESIÓN E INTERACCIÓN ORALES

COCINANDO

Estás en tu casa solo con un amigo, es la hora de comer, pero no hay nada preparado. El examinador es tu amigo. Habla con él siguiendo estas indicaciones:

Candidato:

Durante la conversación con tu amigo debes:

- comentarle que es la hora de comer,
- explicarle que no hay comida preparada,
- sugerirle pedir que os traigan algo por teléfono,
- comentarle qué es lo que tú prefieres y preguntar si está de acuerdo.

TAREA 3. PRESENTACIÓN DE UN TEMA (OPCIÓN 1)

Instrucciones

A continuación tienes un tema y unas instrucciones para realizar una exposición oral.
Tendrás que hablar durante dos o tres minutos. Al final, el examinador te hará unas preguntas sobre el tema.

¿CÓMO ES PARA TI UN DÍA IDEAL?

Incluye información sobre:

- en qué estación del año lo situarías,
- dónde y con quién estarías,
- qué harías durante el día y cómo lo distribuirías,
- por qué sería un día ideal para ti,
- algún día que ya haya sido ideal para ti.

No olvides:

- **diferenciar** las partes de tu exposición: comienzo, desarrollo y final,
- **ordenar** y **relacionar** bien las ideas,
- **justificar** tus opiniones y sentimientos.

TAREA 4. ENTREVISTA A PARTIR DE LA PRESENTACIÓN (OPCIÓN 1)

¿CÓMO ES PARA TI UN DÍA IDEAL?

Modelo de preguntas:

– ¿Cómo describirías un día normal en tu vida? ¿Es igual en todas las épocas del año?

– ¿Y durante los días festivos y las vacaciones es diferente? ¿Por qué?

– Normalmente, en un día lectivo, ¿qué es lo que más te gusta de la rutina de tu escuela? ¿Por qué?

– ¿Por las tardes tienes actividades extraescolares? ¿Cuáles? ¿Las has elegido tú o han influido en ti tus padres o tus amigos? ¿Qué es lo qué más te atrae de las actividades? ¿Hay algo que te disguste o te aburra cuando las haces?

– Y por las noches, ¿tienes que irte a alguna hora determinada a dormir? Antes de acostarte, ¿pasas tiempo con tu familia o prefieres estar en tu habitación o en otro lugar? ¿Por qué?

– Para tu día ideal, ¿es importante estar con amigos? ¿Por qué?

– Imagina que mañana va a ser tu día ideal, ¿qué planes harías para conseguirlo?

TAREA 3. PRESENTACIÓN DE UN TEMA (OPCIÓN 2)

Instrucciones

A continuación tienes un tema y unas instrucciones para realizar una exposición oral.

Tendrás que hablar durante dos o tres minutos. Al final, el examinador te hará unas preguntas sobre el tema.

TU FUTURO ACADÉMICO Y LABORAL

Incluye información sobre:

- en qué curso estás y qué asignaturas tienes y cuáles te gustan más,
- si te gustaría seguir estudiando en el futuro y qué te gustaría estudiar,
- qué tipo de trabajos te gustan y a qué te gustaría dedicarte,
- por qué te gustaría estudiar o trabajar en ello,
- algún tipo de estudio o trabajo que no te gusta nada y por qué.

No olvides:

- **diferenciar** las partes de tu exposición: comienzo, desarrollo y final,
- **ordenar** y **relacionar** bien las ideas,
- **justificar** tus opiniones y sentimientos.

TAREA 4. ENTREVISTA A PARTIR DE LA PRESENTACIÓN (OPCIÓN 2)

TU FUTURO ACADÉMICO Y LABORAL

Modelo de preguntas:

– ¿Has pensado ya qué te gustaría estudiar en el futuro? ¿Por qué?

– ¿Cómo ves tu futuro inmediato? ¿Cuáles son tus planes? Y a largo plazo, ¿qué te gustaría lograr o a qué aspectos das mayor importancia?

– ¿Qué crees que piensan los jóvenes de tu edad sobre su futuro? ¿Son de la misma opinión que tú? ¿Por qué?

– Durante tus estudios, ¿habláis con vuestros profesores o con vuestros padres sobre estos temas? ¿Qué opinan ellos y qué os consejos os dan?

– ¿Eres optimista o pesimista con respecto a tu futuro? ¿Por qué?

– ¿Has estado en algún lugar fuera de tu país? ¿A cuál te gustaría ir? ¿Por qué?

PRUEBA DE COMPRENSIÓN DE LECTURA

Esta prueba contiene cuatro tareas. Debes responder a 25 preguntas.
*Duración: 50 minutos. Marca tus opciones únicamente en la **Hoja de respuestas.***

TAREA 1

Instrucciones

Vas a leer seis textos en los que unos jóvenes hablan de sus gustos e intereses personales y diez propuestas de profesiones con futuro. Relaciona a los jóvenes (1-6) con los textos en los que se habla de estas profesiones (A-J). HAY TRES TEXTOS QUE NO DEBES RELACIONAR.

*Marca las opciones elegidas en la **Hoja de respuestas.***

	PERSONA	TEXTO
0.	ARANTXA	H
1.	NIEVES	
2.	JORGE	
3.	DAVINIA	
4.	IÑAKI	
5.	PABLO	
6.	CARLA	

0. ARANTXA:
Siempre me ha interesado saber cómo funciona la mente de las personas, cómo gestionar de manera adecuada las emociones. Creo que cada ser humano es un mundo.

1. NIEVES:
Me encantan los ordenadores y siempre intento estar al día de las últimas novedades en las nuevas tecnologías. Me gustaría crear mis propios programas y aplicaciones.

4. IÑAKI:
Creo que el bienestar y la salud de las personas son fundamentales para disfrutar de una cierta calidad de vida. Pienso que la medicina puede ayudarnos a vivir mejor.

2. JORGE:
A mí la verdad es que no me gusta mucho estudiar, pero me encanta viajar y soy un apasionado de todo lo que tenga que ver con la mecánica.

5. PABLO:
Para mí es importante concienciar a la gente de que nuestro futuro depende de un equilibrio entre lo que producimos y lo que consumimos. Los recursos naturales son limitados.

3. DAVINIA:
En mi casa y con mis amigos yo soy la que organiza y propone actividades para el tiempo libre. Además me gusta muchísimo viajar y conocer otras culturas.

6. CARLA:
Mi mayor ilusión es llegar a tener algún día mi propia tienda de ropa. Me encanta la moda y creo que tengo buen gusto. Mis amigos siempre me piden consejo antes de comprar algo.

Texto A

Auxiliar de enfermería

De la misma forma que el envejecimiento de la población hará cada vez más necesaria la presencia de enfermeros, también se necesitarán más auxiliares de enfermería, que son los encargados de proporcionar la atención médica básica a los pacientes. A diferencia de los enfermeros, los auxiliares no necesitan un título universitario, sino que basta con un ciclo de Formación Profesional.

Texto B

Conductor de camiones

Además de conducir el camión, se encargan de planificar las rutas y de cargar o descargar la mercancía que transportan. Su demanda se debe tanto a la evolución de la economía de consumo, que necesita un transporte constante de mercancías, como al auge del comercio electrónico. La única formación necesaria son los correspondientes permisos de conducir.

Texto C

Analista de sistemas

Hace años que la evolución de la informática y la tecnología llaman a la puerta de estos profesionales, que seguirán creciendo a un ritmo sostenido en los próximos años. Entre sus funciones están el análisis, la descripción, la mejora y la adaptación de los sistemas informáticos.

Texto D

COMERCIANTE ELECTRÓNICO

Miles de personas venden a diario productos por internet. No importa qué o cuándo, la cuestión es vender, y poco a poco se espera que los comerciantes electrónicos se vayan profesionalizando. En una hora, cualquier persona puede atender a miles de consumidores desde un solo ordenador, lo que habla de la necesidad de especialización de los comerciantes virtuales.

Texto E

Carpintero

La construcción resurgirá de sus cenizas en los próximos años y, tras ella, llegarán con fuerza empleos como el de carpintero, para trabajar la madera que se utiliza tanto en la construcción como en las infraestructuras. El auge de la necesidad de carpinteros también supondrá que sea una de las titulaciones de Formación Profesional con más éxito en el futuro.

Texto F

DOCENTE DIGITAL

Los profesores especializados en las nuevas tecnologías tendrán un papel clave a la hora de evitar que la brecha digital impida a las generaciones más mayores realizar gestiones y actividades básicas. También deberán dar clase a los estudiantes que en vez de libro y libreta han utilizado las tabletas y otros aparatos electrónicos para estudiar.

Texto G

Ejemplo

Abogado

Aunque estemos acostumbrados a imaginar a esta figura profesional defendiendo a sus clientes en los juicios, también se encarga de representarlos en otros procedimientos legales, redacta documentos o hace análisis jurídicos. Por otro lado, las grandes empresas intentan contar con el mejor equipo de abogados antes de cerrar negocios o acuerdos.

Texto H

Psicólogo

Es una profesión cada vez más demandada por muchas empresas de sectores muy diferentes, ya que es habitual que formen parte del equipo de Recursos Humanos. También tienen un papel importante a la hora de ayudar a los trabajadores a controlar el estrés, trabajar bajo presión o superar miedos y fobias en el trabajo.

Texto I

Experto en turismo

El turismo es una de las actividades de ocio preferidas en los países desarrollados. Los avances tecnológicos y el abaratamiento de los medios de transporte han revolucionado el sector. Las nuevas formas de viajar precisarán de profesionales que se encarguen de organizar programas vacacionales.

Texto J

INGENIERO AMBIENTAL Y DE RECICLAJE

La humanidad produce cada vez más residuos, por lo que serán necesarios personal especializado que se encarguen de su reciclaje, especialmente de productos tecnológicos y similares. La evolución de la sociedad nos llevará a un punto en que la labor de los ingenieros de reciclaje se convertirá en imprescindible para garantizar la sostenibilidad del planeta.

TAREA 2

Instrucciones

Vas a leer tres textos que promocionan tres rutas de montaña en la región de Asturias (España). Relaciona las preguntas (7-12) con los textos (A, B o C).

*Marca las opciones elegidas en la **Hoja de respuestas**.*

		A. RUTA DE LAS XANAS	B. SENDA DEL OSO	C. RUTA DEL ALBA
7.	¿Cuál de los tres es el itinerario más corto?			
8.	¿En cuál de estas propuestas hay un horario de visita recomendado?			
9.	¿Cuál de estas rutas tiene un nombre con significado tradicional?			
10.	¿En cuál de estas propuestas puedes comer tu propio pescado?			
11.	¿Cuál de estas rutas es aconsejable realizar cuando llueve?			
12.	¿Cuál de estas propuestas debe su nombre a un animal presente en sus paisajes?			

¿Te gusta el senderismo? Ven, descubre los mejores rincones de Asturias.

A. RUTA DE LAS XANAS

Este magnífico desfiladero, considerado el "hermano pequeño" de la Garganta del Cares (pero mucho menos masificado) fue declarado Monumento Natural por el Principado de Asturias. Situado en el concejo de Santo Adriano, a 23 km de Oviedo y a unos 20 minutos en coche, se trata de un recorrido de 8 km ida y vuelta; es ideal para hacer en cualquier época del año y para cualquier edad.

El nombre del desfiladero hace honor a las hadas de la mitología asturiana, las Xanas, que habitan en los ríos de esta hermosa región. Como recompensa al esfuerzo realizado, recomendamos comer en el único restaurante del pueblo de Pedroveya, con exquisitos platos caseros típicamente asturianos.

B. SENDA DEL OSO

Se trata de una ruta idónea para amantes del senderismo y cicloturistas. Tiene 22 km y abundan los carteles informativos sobre la flora y la fauna, los monumentos de la zona, rutas alternativas, etc. Pero hay algo que hace muy especial esta ruta, al menos para los más jóvenes, y es poder contemplar de cerca a dos osas asturianas: "Paca" y "Tola", que pasan el día de un lado a otro, dentro de un monte cercado junto a la senda. Viven aquí desde 1996. Fueron encontradas muy pequeñas y huérfanas en los montes de Asturias. Desde entonces acuden fieles a la hora de la comida: las 12 del mediodía, el mejor momento para verlas.

C. RUTA DEL ALBA

La ruta del Alba es uno de los recorridos más asequibles y hermosos que pueden emprenderse por la naturaleza asturiana. Discurre paralela al río Alba por un antiguo camino de pastores y arrieros. Las guías recomiendan realizar esta ruta en primavera, verano y especialmente en otoño, por el colorido de la vegetación. Recorrerla en época de lluvias es también recomendable. Los saltos y las pozas adquieren otra dimensión. Es una ruta de unos 14 kilómetros que se recorren en aproximadamente 4 horas.

¿Alguna curiosidad? ¡Claro! En el pueblo de Soto de Agues, punto de partida de la ruta, hay un merendero donde todo el que quiera podrá pescar sus propias truchas. Sin duda, un atractivo seguro para niños y mayores.

(Texto adaptado de http://www.ayrehoteles.com/blog/rutas-senderismo-asturias/)

TAREA 3

Instrucciones

Vas a leer un texto sobre el escritor Fernando Aramburu y su novela infantil Vida de un piojo llamado Matías.
Después, debes contestar a las preguntas (13-18). Selecciona la respuesta correcta (A, B o C).
Marca las opciones elegidas en la **Hoja de respuestas.**

Fernando Aramburu y la *Vida de un piojo llamado Matías*

Fernando Aramburu (San Sebastián, 1959) irrumpió en la novela de los años 90 con una sorprendente ópera prima, *Fuegos con limón* (1996), que mereció el Premio Ramón Gómez de la Serna y el reconocimiento unánime de la crítica. Después, este escritor vasco residente en Alemania desde el año 1985 mantuvo con dignidad, aunque sin igualar el alto mérito de su primera novela, la calidad artística de su obra, tanto en dos novelas posteriores (*Los ojos vacíos, El trompetista del Utopía,* 2003) como en un libro de cuentos (*No ser no duele,* 1997) y un volumen de prosas breves (*El artista y su cadáver,* 2002) escritas en sus comienzos literarios y revisadas más tarde cuando ya era reconocido como un escritor de importancia. En *Vida de un piojo llamado Matías* Fernando Aramburu ensaya, con acierto, la modalidad de la narrativa infantil y juvenil en "un relato para jóvenes de ocho a ochenta y ocho años" que se sitúa en la imprecisa frontera entre la novela corta y el cuento largo.

El relato adopta procedimientos de la literatura fantástica para contar la vida de un piojo desde la perspectiva del diminuto protagonista. Matías, nacido en la cabeza de un maquinista del cual tomó su nombre, es el narrador y protagonista de un relato de aventuras y de iniciación que viene a enriquecer las modernas manifestaciones de la picaresca, entre otros homenajes literarios hábilmente incluidos en el texto sin traicionar el punto de vista desde el que está contada su historia. Las aventuras del piojo entretejen su lucha por la vida ante las descomunales amenazas del medio hostil en que se mueve.

Todo resulta gigantesco desde su perspectiva. Por otra parte, la iniciación de Matías en la experiencia de la vida reproduce, con la simplificación propia de un relato para todas las edades, el proceso vital de los humanos, desde su aprendizaje para sobrevivir en la adversidad durante las primeras etapas hasta su conocimiento de la familia, la amistad, el amor, la soledad, la violencia y la injusticia. Se trata, pues, de un piojo humanizado cuya existencia ilustra, con la visión mayúscula derivada de su perspectiva, las alegrías y pesares de los seres humanos.

Lo mejor del texto radica en su afortunada combinación de una prosa sencilla e impecable, de sintaxis con predominio de oraciones simples, con el ingenio y el humor derramados en múltiples episodios y el sutil homenaje a los clásicos en un texto salpicado de citas encubiertas en numerosas referencias y alusiones: *El Buscón* de Quevedo o *El lazarillo de Tormes* (anómino), obras capitales de la literatura picaresca española.

(Texto adaptado de http://www.elcultural.com/revista/letras/Vida-de-un-piojo-llamado-Matias/11276)

PREGUNTAS

13. Según el texto, Fernando Aramburu...
A) alcanzó su primer éxito literario en los años noventa.
B) nació en los años setenta.
C) no obtuvo premios importantes hasta los años ochenta.

14. En el texto se dice que Fernando Aramburu...
A) ha publicado fundamentalmente poesías.
B) es un escritor vasco que actualmente vive en Alemania.
C) no se ha dedicado al género narrativo.

15. *Vida de un piojo llamado Matías* es un libro...
A) que está dirigido a un público infantil.
B) que está pensado para gente de todas las edades.
C) que solo puede ser leído por personas adultas.

16. En el texto se dice que Matías, el protagonista, es...
A) un aventurero que busca un tesoro.
B) un pícaro hostil que odia a los maquinistas.
C) un piojo que lucha por sobrevivir.

17. Según el texto, Fernando Aramburu en este libro...
A) utiliza los recursos propios de la literatura realista.
B) nos cuenta cómo viven los insectos y parásitos.
C) atribuye al protagonista emociones y experiencias propias de los seres humanos.

18. *Vida de un piojo llamado Matías* es un libro...
A) donde hay muchas referencias a los grandes clásicos de la literatura.
B) escrito en un estilo muy complicado.
C) que no es divertido y no hace reír a nadie.

TAREA 4

Instrucciones

Lee el texto y rellena los huecos (19-25) con la opción correcta (A, B o C).
*Marca las opciones elegidas en la **Hoja de respuestas**.*

MEDINA AZAHARA: UNA HISTORIA DE AMOR DE MÁS DE MIL AÑOS

La más _____19_____ ciudad de Occidente nació gracias al amor. Cuenta la leyenda que era tanto el amor del Sultán Abd-al-Rahmán III (siglo x d.C.) _____20_____ una muchacha de nombre al-Zahrá, que prometió construirle la más magnífica ciudad jamás conocida.

Así fue fundada Medina Azahara, a los pies de la sierra de Córdoba, en Andalucía. En solo 25 años, el califa _____21_____, gracias al trabajo de más de 10 000 hombres, un increíble paraíso y a él trasladó toda su corte, convirtiéndolo en residencia real y sede del gobierno.

Por desgracia, poco tiempo _____22_____ estalló una guerra civil y los saqueos, los enfrentamientos y los _____23_____ destruyeron este espléndido lugar, condenándolo al olvido.

_____24_____ llegó el siglo xix y aquel montón de ruinas fue identificado como Medina Azahara. En 1910 comenzaron los trabajos de excavación y restauración.

A pesar del expolio y el abandono de siglos, y gracias al formidable trabajo de los restauradores, aún hoy al visitarla podemos _____25_____ perfectamente las recepciones en palacio, cómo partían las tropas a la batalla o cómo era la vida diaria.

(Texto adaptado de http://www.turismoandalucia.org)

OPCIONES

19.	A) guapa	B) bella	C) bonito
20.	A) hacia	B) hasta	C) para
21.	A) imaginó	B) destruyó	C) levantó
22.	A) después	B) luego	C) antes
23.	A) muertes	B) incendios	C) lluvias
24.	A) Más	B) Porque	C) Pero
25.	A) pensar	B) imaginar	C) recordar

PRUEBA DE COMPRENSIÓN AUDITIVA

La prueba de Comprensión auditiva contiene cuatro tareas. Debes responder a 25 preguntas.
Duración: 30 minutos.
Marca tus opciones únicamente en la **Hoja de respuestas**.

TAREA 1

 Instrucciones

Vas a escuchar siete conversaciones. Escucharás cada conversación dos veces. Después debes contestar a las preguntas (1–7). Selecciona la opción correcta (A, B o C).
Marca las opciones elegidas en la **Hoja de respuestas.**

Ejemplo:

0. ¿Qué bebidas van a tomar los chicos?

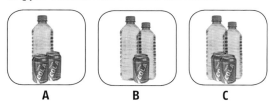

La opción correcta es la **A.**

	A	B	C
0.	■		

Ahora tienes 30 segundos para leer las preguntas.

CONVERSACIÓN 1

¿Qué se ha comprado la chica en las rebajas?

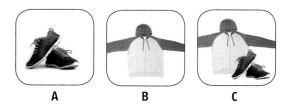

CONVERSACIÓN 2

¿Qué es lo que no encuentra la mujer en su casa?

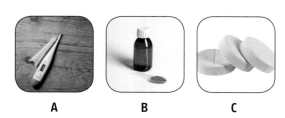

CONVERSACIÓN 3

¿Cuántas bicicletas tiene el chico ahora en su casa?

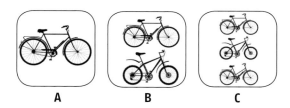

CONVERSACIÓN 4

¿Qué no es necesario para sacarse el carnet joven?

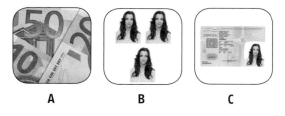

CONVERSACIÓN 5

¿En qué ha cambiado el chico?

A) Se ha puesto gafas.
B) Ha perdido peso.
C) Se ha puesto lentillas.

CONVERSACIÓN 6

¿Qué van a ver en el cine?

A) Una película de ciencia ficción.
B) Una película romántica.
C) Una película graciosa y entretenida.

CONVERSACIÓN 7

¿Cuántos libros se lleva el chico en préstamo?

A) Ninguno.
B) Dos.
C) Uno.

TAREA 2

PRUEBA DE COMPRENSIÓN AUDITIVA

 Instrucciones

Vas a escuchar siete mensajes, incluido el ejemplo. Cada mensaje se repite dos veces. Selecciona el enunciado (A-J) que corresponde a cada mensaje.

Hay diez enunciados, incluido el ejemplo. Selecciona seis.

*Marca las opciones elegidas en la **Hoja de respuestas**.*

Escucha ahora el **Ejemplo:**
Mensaje 0

La opción correcta es la **B**.

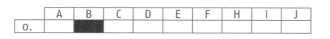

	A	B	C	D	E	F	H	I	J
0.		■							

	MENSAJES	ENUNCIADOS
	Mensaje 0	B
8.	Mensaje 1	
9.	Mensaje 2	
10.	Mensaje 3	
11.	Mensaje 4	
12.	Mensaje 5	
13.	Mensaje 6	

Ahora tienes 25 segundos para leer los enunciados.

ENUNCIADOS

A. Informa de que no es posible hacer determinadas actividades en un lugar de ocio.
B. Ofrece precios especiales si compras en el último momento.
C. Informa del tablón de precios de una piscina municipal.
D. Da la posibilidad de conocer monumentos de distintos países sin salir de España.
E. Es una invitación para estudiar en grupo.
F. Informa de la actuación de una artista de fama mundial.
G. Anuncia una propuesta formativa que dura algo menos de una semana.
H. Es una propuesta para pasar la tarde en un centro comercial.
I. Pone a la venta artículos nuevos y usados.
J. Anuncia el espectáculo de un bailarín argentino.

TAREA 3

Instrucciones

Vas a escuchar una conversación entre dos amigos, Óscar y Mónica. Indica si los enunciados (14-19), se refieren a Óscar (A), a Mónica (B) o a ninguno de los dos (C). Escucharás la conversación dos veces.

*Marque las opciones elegidas en la **Hoja de respuestas**.*

Ahora tienes 25 segundos para leer los enunciados.

	A. ÓSCAR	B. MÓNICA	C. NINGUNO DE LOS DOS
0. Está cambiando su lugar de residencia.		X	
14. Antes compartía su habitación.			
15. No le gustan las fiestas.			
16. Tiene a un familiar trabajando en el extranjero.			
17. El viernes es su cumpleaños.			
18. Va a estar dos semanas fuera de casa.			
19. Se va a mudar a Inglaterra.			

TAREA 4

Instrucciones

Vas a escuchar tres noticias. Después debes contestar a las preguntas (20-25). Debes seleccionar la opción correcta (A, B o C). La audición se repite dos veces.

*Marca las opciones elegidas en la **Hoja de respuestas**.*

Ahora tienes 30 segundos para leer las preguntas.

PRIMERA NOTICIA

20. Según la audición, el objetivo del concurso de fotografía es...
A) el reciclaje del plástico.
B) la concienciación sobre el cuidado del medio ambiente.
C) los hoteles que no respetan la naturaleza.

21. En la audición se dice que...
A) no pueden partipar menores de edad.
B) el plástico es fundamental para el turismo.
C) el premio para la foto ganadora es un fin de semana en un hotel español.

SEGUNDA NOTICIA

22. Según la audición, el Curso de Primeros Auxilios...

A) no es un curso presencial.

B) enseña a provocar accidentes.

C) no es válido ante una situación de emergencia.

23. En la audición se dice que...

A) el curso dura más de un mes.

B) se reconocerán 25 horas de formación a los participantes.

C) la edad mínima de los participantes no debe ser inferior a 16 años.

TERCERA NOTICIA

24. Según la audición, Café con Ciencia...

A) es una iniciativa que tiene como objetivo desayunar con un grupo de científicos.

B) pretende llevar la ciencia a la sociedad en general.

C) es una actividad que permite la participación de solo diez alumnos seleccionados.

25. En la audición se dice que...

A) una de las líneas de trabajo está centrada en un estudio sobre Islas Galápagos.

B) no existe relación medioambiental entre animales y plantas.

C) la polinización no afecta a la conservación de los ecosistemas.

PRUEBA DE EXPRESIÓN E INTERACCIÓN ESCRITAS

Esta prueba consta de dos tareas. Debes redactar dos textos.

Duración: 50 minutos. Redacta los textos en la **Hoja de respuestas.**

TAREA 1

Instrucciones

En un foro juvenil hay una serie de mensajes de chicos que quieren conocer a otros chicos con intereses similares. Un mensaje llama tu atención. Léelo y contesta al chico que lo escribe.

¡Hola a todos!

Me llamo Álex y soy un chico de 17 años que vive en Lyon, una ciudad de Francia. Escribo al foro porque estoy estudiando español y me gustaría conocer a chicos y chicas que hablen español y tengan mis mismos intereses. Me encanta el baloncesto (de hecho juego en el equipo local), y en mi tiempo libre también me gusta jugar con la consola y leer (mi género favorito es la ciencia ficción).

Estaré encantado de recibir vuestros mensajes.

Saludos,

Álex

En tu respuesta, no olvides:

- saludar,
- presentarte brevemente,
- decir cuáles son tus gustos e intereses y explicar por qué quieres conocer a Álex,
- despedirte.

Número de palabras recomendado: **entre 60 y 70.**

TAREA 2

Instrucciones

Elige solo una de las dos opciones que se te ofrecen a continuación:

OPCIÓN 1

Es el 50 aniversario de tu instituto y por este motivo en la revista digital escolar piden artículos donde los estudiantes comparen cómo se estudia ahora y cómo se estudiaba antes. Escribe un texto sobre ese argumento y no olvides:

- manifestar tu alegría por el aniversario,
- decir si, en tu opinión, se estudia mejor ahora o se estudiaba mejor antes,
- comentar y comparar cómo eran antes las cosas y cómo son ahora,
- indicar dónde has encontrado la información para hablar de aquella situación pasada (tus padres, tus abuelos, libros, películas, internet...).

OPCIÓN 2

En el colegio han organizado un concurso de ideas sobre cómo debería ser la casa perfecta en el futuro. Escribe tu propuesta y no olvides:

- decir cuáles deberían ser los requisitos de esa casa del futuro,
- describirla,
- decir si te gustaría vivir allí o preferirías seguir viviendo en tu casa actual,
- motivar esta última opinión.

Número de palabras recomendado: **entre 110 y 130.**

PRUEBA DE EXPRESIÓN E INTERACCIÓN ORALES

La prueba de Expresión e interacción orales tiene una duración aproximada de 12 minutos y consta de cuatro tareas:

- *TAREA 1. Describir una foto (1–2 minutos). Debes describir una fotografía, elegida entre dos opciones, siguiendo las pautas que se te dan.*
- *TAREA 2. Dialogar en una situación simulada (2–3 minutos). Debes establecer un diálogo con el examinador siguiendo las instrucciones que te va a dar.*
- *TAREA 3. Presentar un tema (2–3 minutos). Debes hablar sobre un tema que has elegido entre dos opciones.*
- *TAREA 4. Entrevista a partir de la presentación (2–3 minutos). Debes contestar a las preguntas del entrevistador sobre el tema de la presentación.*

Tienes 12 minutos para preparar las tareas 1 y 3. Puedes tomar notas y escribir un esquema de tu exposición, que podrás consultar durante el examen, pero no puedes limitarte a leer el esquema.

TAREA 1. DESCRIPCIÓN DE UNA FOTO (OPCIÓN 1) PRUEBA DE EXPRESIÓN E INTERACCIÓN ORALES

EN EL CENTRO COMERCIAL

Describe con detalle, durante uno o dos minutos, lo que ves en la foto. Estos son algunos aspectos que puedes comentar:

- ¿Cómo son las personas que aparecen en la fotografía? Describe a alguna de ellas: el físico, el carácter que crees que tiene, la ropa que lleva…
- ¿Dónde están esas personas? ¿Cómo es ese lugar? ¿Qué objetos hay?
- ¿Qué relación crees que tienen esas personas? ¿Por qué?
- ¿Qué crees que están haciendo en este momento? ¿Por qué?
- ¿De qué crees que están hablando? ¿Por qué?
- ¿Qué crees que va a pasar luego? ¿Y más tarde?

TAREA 2. DIÁLOGO EN SITUACIÓN SIMULADA (OPCIÓN 1) PRUEBA DE EXPRESIÓN E INTERACCIÓN ORALES

EN EL CENTRO COMERCIAL

Vas a hablar con un amigo que es nuevo en la ciudad y quiere ir a pasar la tarde a un centro comercial.

El examinador es tu amigo. Habla con él siguiendo estas indicaciones.

Candidato:

Durante la conversación con tu amigo debes:

- preguntarle si le gusta la ciudad y por qué,
- explicarle las ofertas de ocio que ofrece el centro comercial,
- sugerirle la opción del multicines,
- preguntarle qué tipo de películas le gustan,
- quedar para ir juntos.

TAREA 1. DESCRIPCIÓN DE UNA FOTO (OPCIÓN 2)   PRUEBA DE EXPRESIÓN E INTERACCIÓN ORALES

VISITANDO A UN AMIGO EN EL HOSPITAL

Describe con detalle, durante uno o dos minutos, lo que ves en la foto.
Estos son algunos aspectos que puedes comentar:

- ¿Cómo son las personas que aparecen en la fotografía? Describe a alguna de ellas: el físico, el carácter que crees que tiene, la ropa que lleva…
- ¿Dónde están esas personas? ¿Cómo es ese lugar? ¿Qué objetos hay?
- ¿Qué relación crees que tienen esas personas? ¿Por qué?
- ¿Qué crees que están haciendo en este momento? ¿Por qué?
- ¿De qué crees que están hablando? ¿Por qué?
- ¿Qué crees que va a pasar luego? ¿Y más tarde?

TAREA 2. DIÁLOGO EN SITUACIÓN SIMULADA (OPCIÓN 2)   PRUEBA DE EXPRESIÓN E INTERACCIÓN ORALES

VISITANDO A UN AMIGO EN EL HOSPITAL

Vas a hablar con un amigo que tiene a un primo suyo en el hospital. El examinador es tu amigo. Habla con él siguiendo estas indicaciones.

Candidato:
Durante la conversación con tu amigo debes:
- preguntarle qué ha hecho el pasado fin de semana,
- reaccionar cuando te diga que ha ido a ver a su primo al hospital,
- preguntarle por qué está allí y desde cuándo,
- explicarle que tú tampoco estás bien en este momento y qué sintomas tienes,
- agradecerle que te acompañe a casa.

TAREA 3. PRESENTACIÓN DE UN TEMA (OPCIÓN 1)   PRUEBA DE EXPRESIÓN E INTERACCIÓN ORALES

Instrucciones

A continuación tienes un tema y unas instrucciones para realizar una exposición oral.
Tendrás que hablar durante dos o tres minutos. Al final, el examinador te hará unas preguntas sobre el tema.

TU AMIGO DEL ALMA

Incluye información sobre:
- cuánto tiempo hace que os conocéis,
- cómo es físicamente,
- cómo es su carácter,
- por qué es tu amigo o amiga especial,
- alguna anécdota de algo que hayáis vivido juntos.

No olvides:
- **diferenciar** las partes de tu exposición: comienzo, desarrollo y final,
- **ordenar** y relacionar bien las ideas,
- **justificar** tus opiniones y sentimientos.

TAREA 4. ENTREVISTA A PARTIR DE LA PRESENTACIÓN (OPCIÓN 1)

TU AMIGO DEL ALMA

Modelo de preguntas:

- En tu opinión, ¿es necesario tener un amigo o amiga del alma? ¿Por qué?
- ¿Cuál es la diferencia entre un amigo del alma y los demás amigos? En tu opinión, ¿se pueden tener varios amigos del alma? ¿Por qué?
- ¿Crees que cuando una persona crece puede seguir teniendo los amigos que tenía cuando era pequeño? ¿Conoces a alguien mayor que haya conservado sus amistades de la infancia o la adolescencia?
- ¿Crees que un amigo del alma se puede conocer durante las vacaciones, o tiene que ser una persona que conoces en el colegio o en el instituto? ¿Por qué?
- ¿Alguna vez te ha traicionado un amigo del alma? Si tu respuesta es sí, ¿cómo ocurrió? Si tu respuesta es no, ¿cómo crees que te sentirías ante una situación como esa?

TAREA 3. PRESENTACIÓN DE UN TEMA (OPCIÓN 2)

Instrucciones

A continuación tienes un tema y unas instrucciones para realizar una exposición oral.

Tendrás que hablar durante dos o tres minutos. Al final, el eaxminador te hará unas preguntas sobre el tema.

GUSTOS LITERARIOS

Incluye información sobre:

- el tipo de libros que lees,
- cuántos libros sueles leer,
- la importancia de la lectura y sus ventajas,
- cuál es el último libro que has leído o estás leyendo en este momento,
- un libro que te haya gustado especialmente y por qué.

No olvides:

- **diferenciar** las partes de tu exposición: comienzo, desarrollo y final,
- **ordenar** y relacionar bien las ideas,
- **justificar** tus opiniones y sentimientos.

TAREA 4. ENTREVISTA A PARTIR DE LA PRESENTACIÓN (OPCIÓN 2)

GUSTOS LITERARIOS

Modelo de preguntas:

- ¿Coinciden tus gustos literarios con los libros que tienes que leer obligatoriamente en el colegio o el instituto? ¿Crees que eso es bueno?
- ¿Te gusta regalar libros? Si tu respuesta es afirmativa, ¿por qué es mejor regalar libros que otra cosa? ¿Sueles acertar con los gustos literarios de la persona a la que le regalas el libro? Si tu respuesta es negativa, ¿qué otras cosas te gusta regalar a los demás? ¿Por qué es mejor regalar otras cosas?
- ¿A tus padres les gusta leer? ¿Crees que es importante incentivar la lectura desde casa? ¿Por qué?
- ¿Cuándo lees más, durante el curso o durante las vacaciones? ¿Por qué?
- ¿Qué crees que es mejor, el libro tradicional en papel o el libro digital? ¿Por qué?

PRUEBA DE COMPRENSIÓN DE LECTURA

Esta prueba contiene cuatro tareas. Debes responder a 25 preguntas.
Duración: 50 minutos. Marca tus opciones únicamente en la **Hoja de respuestas.**

TAREA 1

Instrucciones

Vas a leer seis textos en los que unos jóvenes explican qué les gustaría hacer el fin de semana y diez propuestas de ocio. Relaciona a los jóvenes (1–6) con los anuncios (A–J). HAY TRES TEXTOS QUE NO DEBES RELACIONAR.

Marca las opciones elegidas en la **Hoja de respuestas.**

CONVERSACIÓN CINCO

	PERSONA	TEXTO
0.	ANA	I
1.	MARTÍN	
2.	PEPA	
3.	CLAUDIA	
4.	CHEMA	
5.	LUIS	
6.	MONTSE	

0. ANA:
A mí el fin de semana me gusta aprovecharlo para realizar actividades culturales. Me encanta la pintura y siempre que puedo hago alguna escapada para visitar algún museo.

1. MARTÍN:
Yo este sábado tengo ganas de salir con mis amigos. Dar una vuelta, comer algo y después ir a algún lugar a bailar, reír y pasarlo bien.

4. CHEMA:
Yo nunca he volado pero este fin de semana lo voy a hacer por primera vez; un amigo me ha invitado y la verdad es que estoy esperando que llegue el sábado.

2. PEPA:
Los fines de semana siempre organizamos actividades familiares. A mis padres les encanta la naturaleza y solemos hacer excursiones de uno o dos días a parques naturales.

5. LUIS:
Este domingo participaré en una carrera del campeonato comarcal juvenil de atletismo. Hace dos años que corro y me encantan los días de competición.

3. CLAUDIA:
A mis amigos y a mí nos gusta ir al cine cada fin de semana. Después siempre vamos a tomar algo y comentamos la película.

6. MONTSE:
Este fin de semana iré con dos amigas a una casa de turismo rural donde hacen un taller de cocina para adolescentes; puede ser muy divertido. Aprenderemos cocina tradicional.

Texto A

GLOBOS AEROSTÁTICOS

¿Quieres ver tu comarca desde otro punto de vista? Te proponemos excursiones en globo para grupos de 3 a 8 personas, una forma tranquila y diferente de viajar.

Contacta con nosotros en **www.globosaire.es** o llama al 978554622.

Texto B

DISCOTECA CAMEL

Si lo que buscas es la máxima diversión somos lo que estás buscando: tres ambientes (música electrónica, pop y chill-out), piscina y los mejores Dj's de la ciudad. Abierto a partir de las 10 de la noche. Domingo por la tarde discoteca para jóvenes (13-18 años) a partir de las 5.

Texto C

Gastronomía

¿Te gusta cocinar? Si lo que quieres es dar tus primeros pasos en el mundo de los fogones ven este fin de semana a Villahuerta, una finca de seis hectáreas situada a las afueras de Zaragoza, donde aprenderás a cocinar de la mano de tres cocineros profesionales. Plazas limitadas.

Texto D

Costa Brava

Pasa un fantástico fin de semana en la playa con tus amigos a un precio increíble. Ofrecemos alojamiento en albergues para jóvenes en régimen de pensión completa. Nuestras instalaciones están a solo 5 minutos a pie de la playa. No lo pienses más y reserva ya tu plaza en **www.alberguejuventud.es**

Texto E

Las Glorias

En este centro comercial disfrutarás de una gran oferta gastronómica (bocadillos, tapas, pizza, hamburguesas, comida mexicana...) y de las mejores marcas de ropa y calzado. Además, disponemos del cine con más salas de toda la ciudad. Ven en familia o con amigos, lo pasarás en grande.

Texto F

Deporte

¿Te gusta el deporte? Participa este fin de semana en el XXXII Campeonato de La Bisbal, una carrera ya clásica en un entorno incomparable. El sábado se celebrarán las competiciones para aficionados mientras que el domingo se llevarán a cabo las carreras de atletas federados.

Texto G

Manualidades

El sábado 12 y domingo 13 de agosto se llevará a cabo un curso de manualidades realizadas a partir de material reciclado en el centro cívico del barrio de San Narciso. Aprovecha plásticos, cartones y papel para realizar preciosas manualidades. Curso destinado a niños y jóvenes de entre 6 y 13 años.

Texto H

MONTAÑA

La sección infantil del Club Excursionista de Villamonte os propone excursiones en familia. Este sábado, excursión a la Sierra de Verdera. Cada familia debe traer su propio desayuno y comida. Punto de encuentro delante de la oficina de turismo a las 9 de la mañana.

Texto I

Ejemplo

MUSEO DALÍ

Visita Figueras y conoce uno de los museos más originales de Europa. En el Museo Dalí descubrirás la vida y la obra de este original pintor. Reserva ya tus plazas por internet en www.salvador-dali.org

Texto J

ANIMALES

Si quieres pasar un fin de semana rodeado de la más variada fauna ven a la Feria del ganado que se celebra en San Pedro de la Sierra los días 7 y 8 de julio. Habrá talleres sobre cuidados animales, elaboración de quesos y embutidos y mucho más.

Más información en www.feriasanpedro.org

TAREA 2

Instrucciones

Vas a leer tres textos de un foro de jóvenes que hablan sobre su futuro. Relaciona las preguntas (7–12) con los textos (A, B o C).

*Marca las opciones elegidas en la **Hoja de respuestas**.*

		A. MARC	B. JORGE	C. NATALIA
7.	¿A quién no se le dan muy bien los estudios?			
8.	¿Quién alterna dos actividades diferentes?			
9.	¿Quién cree que los trabajos tradicionales no desaparecerán?			
10.	¿Quién quiere seguir los pasos de su padre?			
11.	¿A quién le gustaría destacar en su disciplina?			
12.	¿Quién sabe que no cursará estudios superiores?			

A. MARC

Yo todavía estoy en el instituto pero tengo bastante claro lo que haré con mi futuro. Cuando acabe, me gustaría seguir estudios de Arquitectura en la universidad. Mi padre es arquitecto y mi abuelo también lo era y, además de seguir la tradición familiar, creo que tengo vocación. Siempre me ha interesado la arquitectura. Ya cuando era pequeño me pasaba el día copiando edificios famosos con piezas de Lego. Si no pudiera entrar en la facultad de Arquitectura otra opción sería hacer algo más artístico, como Bellas Artes o Historia del Arte, aunque las salidas profesionales son complicadas.

B. JORGE

Yo tuve claro desde mis primeros años de instituto que no iría a la universidad. No soy muy buen estudiante y prefiero hacer cosas más prácticas, por eso estoy en Formación Profesional estudiando Mecánica del automóvil, es un curso teórico y también práctico. Por la mañana estoy seis horas en clase y por la tarde voy a un taller a hacer un par de horas de prácticas. La verdad es que me gusta y creo que un buen mecánico siempre encontrará trabajo, los coches nunca desaparecerán y siempre habrá gente que necesite una reparación. Las profesiones de toda la vida siempre darán trabajo.

C. NATALIA

Yo estudio bachillerato en el instituto pero lo compagino con el deporte. Soy nadadora de un club y de la selección española y ahora mismo me estoy preparando para los Juegos Olímpicos de Río de Janeiro, que se celebrarán el año que viene. La verdad es que es muy duro, me levanto a las cinco y media de la mañana y entreno hasta las ocho. Después voy al instituto hasta las tres y por la tarde vuelvo a entrenar hasta las ocho y normalmente los fines de semana participo en competiciones. Mi futuro ahora mismo lo veo en la natación, me gustaría ser la mejor nadadora de todos los tiempos, aunque no quiero dejar los estudios de lado.

TAREA 3 PRUEBA DE COMPRENSIÓN DE LECTURA

Instrucciones

Vas a leer un cuento sobre una espada a la que no le gustaba la guerra. Después, debes contestar a las preguntas (13-18). Selecciona la respuesta correcta (A, B o C).

*Marca las opciones elegidas en la **Hoja de respuestas.***

La espada pacifista

Había una vez una espada preciosa. Pertenecía a un gran rey y, desde siempre, había estado en palacio, participando en sus entrenamientos y exhibiciones, enormemente orgullosa. Hasta que un día, una gran discusión entre su majestad y el rey del país vecino, terminó con ambos reinos declarándose la guerra.

La espada estaba emocionada con su primera participación en una batalla de verdad. Demostraría a todos lo valiente y especial que era, y ganaría una gran fama. Así estuvo imaginándose vencedora de muchos combates mientras iban hacia el frente. Pero cuando llegaron, ya había habido una primera batalla, y la espada pudo ver el resultado de la guerra. Aquello no tenía nada que ver con lo que había imaginado: nada de caballeros limpios, elegantes y triunfadores con sus armas relucientes; allí sólo había armas rotas y muchísima gente sufriendo hambre y sed; casi no había comida y todo estaba lleno de suciedad envuelta en el olor más repugnante; muchos estaban medio muertos y tirados por el suelo y todos sangraban por múltiples heridas...

Entonces la espada se dio cuenta de que no le gustaban las guerras ni las batallas. Ella prefería estar en paz y dedicarse a participar en torneos y concursos. Así que durante aquella noche previa a la gran batalla final, la espada buscaba la forma de impedirla. Finalmente, empezó a vibrar. Al principio emitía un pequeño zumbido, pero el sonido fue creciendo, hasta convertirse en un molesto sonido metálico. Las espadas y armaduras del resto de soldados preguntaron a la espada del rey qué estaba haciendo, y esta les dijo:

– No quiero que haya batalla mañana, no me gusta la guerra.

– A ninguno nos gusta, pero ¿qué podemos hacer?
– Vibrad como yo lo hago. Si hacemos suficiente ruido nadie podrá dormir.

Entonces las armas empezaron a vibrar, y el ruido fue creciendo hasta hacerse ensordecedor, y se hizo tan grande que llegó hasta el campamento de los enemigos, cuyas armas, hartas también de la guerra, se unieron a la gran protesta. A la mañana siguiente, cuando debía comenzar la batalla, ningún soldado estaba preparado. Nadie había conseguido dormir ni un poquito, ni siquiera los reyes y los generales, así que todos pasaron el día entero durmiendo. Cuando comenzaron a despertar al atardecer, decidieron dejar la batalla para el día siguiente.

Pero las armas, lideradas por la espada del rey, volvieron a pasar la noche entonando su canto de paz, y nuevamente ningún soldado pudo descansar, teniendo que aplazar de nuevo la batalla, y lo mismo se repitió durante los siguientes siete días. Al atardecer del séptimo día, los reyes de los dos bandos se reunieron para ver qué podían hacer en aquella situación. Ambos estaban muy enfadados por su anterior discusión, pero al poco de estar juntos, comenzaron a comentar las noches sin sueño que habían pasado, la extrañeza de sus soldados, el desconcierto del día y la noche y las divertidas situaciones que había creado, y poco después ambos reían amistosamente con todas aquellas historietas.

(Adaptado de: www.cuentosparadormir.com)

PREGUNTAS

13. Antes de ir a la guerra, la espada...
A) había participado en muchas batallas.
B) nunca había salido del palacio.
C) era de otro rey.

14. En el texto se dice que, antes de la batalla, la espada...
A) estuvo descansando.
B) tenía miedo.
C) estaba ansiosa por llegar.

15. Al llegar a la primera batalla, la espada...
A) se llevó una desagradable sorpresa.
B) luchó con todas sus fuerzas.
C) volvió al palacio.

16. Para evitar la batalla...
A) empezó a hacer ruido.
B) se escondió.
C) habló con el rey.

17. En el texto se dice que los soldados...
A) descansaron durante el día.
B) durmieron toda la noche.
C) no pudieron dormir en ningún momento.

18. Finalmente, los reyes...
A) dejaron la guerra para otro día.
B) firmaron un acuerdo de paz.
C) volvieron a ser amigos.

TAREA 4

Instrucciones

Lee el texto y rellena los huecos (19–25) con la opción correcta (A, B o C).
*Marca las opciones elegidas en la **Hoja de respuestas**.*

LA PETANCA

La petanca es un juego en el que la _____19_____ es lanzar bolas metálicas tan cerca como _____20_____ posible de una pequeña bola de madera, lanzada anteriormente por un jugador, con ambos pies en el suelo.

El juego en su forma actual surgió en 1907 en La Ciotat, Provenza, en el sur de Francia, aunque los antiguos romanos ya _____21_____ a una versión primitiva con bolas de piedra, que fue llevada a Provenza por soldados y marineros romanos. Su nombre procede de la expresión "pieds tanquees" ("pies juntos") en el dialecto provenzal.

El juego se puede practicar en todo tipo de terreno, aunque normalmente se hace en zonas llanas, de gravilla o arenosas. Las pistas son rectangulares con un largo de 15 metros y un ancho de 4 metros y las bolas usadas _____22_____ el juego son metálicas.

_____23_____ comenzar el juego se lanza el boliche desde una circunferencia de lanzamiento que debe colocarse como mínimo a un metro de cualquier obstáculo. Para que dicho lanzamiento sea válido, el boliche _____24_____ quedar a una distancia entre 6 y 10 metros de la circunferencia de lanzamiento y al menos a un metro de cualquier obstáculo. Después, cada jugador _____25_____ sus bolas y al final gana un punto el equipo que tiene la bola más cerca del boliche. El primero en llegar a los 13 puntos es el ganador de la partida.

(Adaptado de: https://es.wikpedia.org/wiki/Petanca)

OPCIONES

19.	A) objetivo	B) meta	C) fin
20.	A) será	B) sea	C) es
21.	A) jugaban	B) jugaron	C) han jugado
22.	A) por	B) en	C) con
23.	A) Al	B) Por	C) En
24.	A) tiene	B) hay	C) debe
25.	A) alza	B) chuta	C) lanza

PRUEBA DE COMPRENSIÓN AUDITIVA

La prueba de Comprensión auditiva contiene cuatro tareas. Debes responder a 25 preguntas.
Duración: 30 minutos.

Marca tus opciones únicamente en la **Hoja de respuestas**.

TAREA 1

 Instrucciones

Vas a escuchar siete conversaciones. Escucharás cada conversación dos veces. Después debes contestar a las
preguntas (1–7). Selecciona la opción correcta (A, B o C).

Marca las opciones elegidas en la **Hoja de respuestas.**

Ejemplo:

0. ¿Qué quiere hacer la chica esta tarde?

	A	B	C
La opción correcta es la **B**. | 0. | | | |

Ahora tienes 30 segundos para leer las preguntas.

CONVERSACIÓN 1

¿Qué le pide la chica a su padre?

A   B   C

CONVERSACIÓN 3

¿Qué va a comprar el chico?

A   B   C

CONVERSACIÓN 2

**¿Dónde van de excursión los alumnos
de la escuela?**

A   B   C

CONVERSACIÓN 4

¿Qué va a tomar el chico?

A   B   C

CONVERSACIÓN 5

¿Qué música le gusta a la chica?

A) Música electrónica.

B) Música para relajarse.

C) Música de todo tipo.

CONVERSACIÓN 6

¿Qué le pide el chico a la chica?

A) Unos apuntes de matemáticas.

B) Un libro que necesita.

C) Ayuda para hacer un trabajo.

CONVERSACIÓN 7

¿Qué va a hacer la niña por su cumpleaños?

A) Una fiesta en un parque acuático.

B) Una fiesta al aire libre.

C) Una celebración en el jardín de casa.

TAREA 2

 Instrucciones

Vas a escuchar siete mensajes, incluido el ejemplo. Cada mensaje se repite dos veces. Selecciona el enunciado (A-J) que corresponde a cada mensaje.

Hay diez enunciados, incluido el ejemplo. Selecciona seis.

*Marca las opciones elegidas en la **Hoja de respuestas.***

	MENSAJES	ENUNCIADOS
	Mensaje 0	E
8.	Mensaje 1	
9.	Mensaje 2	
10.	Mensaje 3	
11.	Mensaje 4	
12.	Mensaje 5	
13.	Mensaje 6	

Escucha ahora el **Ejemplo:**

Mensaje 0

La opción correcta es la **E.**

	A	B	C	D	E	F	H	I	J
0.					■				

Ahora tienes 25 segundos para leer los enunciados.

ENUNCIADOS

A. El autobús llegará antes de lo previsto.

B. Se puede aprender a cocinar paellas.

C. Dan un regalo a sus clientes.

D. Informan de un retraso.

E. Habrá actividades para niños.

F. Anuncian un curso gratuito.

G. Se pueden comprar productos de alimentación a buen precio.

H. Buscan gente interesada en el excursionismo.

I. Necesita que la recojan.

J. Anuncian una actividad deportiva.

TAREA 3

 Instrucciones

Vas a escuchar una conversación entre dos amigos, Dani y Olga. Indica si los enunciados (14-19) se refieren a Dani (A), a Olga (B) o a ninguno de los dos (C). Escucharás la conversación dos veces.

*Marca las opciones elegidas en la **Hoja de respuestas**.*

Ahora tienes 25 segundos para leer los enunciados.

	A. DANI	B. OLGA	C. NINGUNO DE LOS DOS
0. Acaba de volver de un viaje		X	
14. Le han regalado una moto.			
15. Ha estudiado en el extranjero.			
16. Cree que lo importante es mejorar en el futuro.			
17. Ha aprobado con dificultad.			
18. No ha pasado de curso.			
19. Ha suspendido alguna asignatura.			

TAREA 4

 Instrucciones

Vas a escuchar tres noticias. Después debes contestar a las preguntas (20-25). Debes seleccionar la opción correcta (A, B o C) . La audición se repite dos veces.

*Marca las opciones elegidas en la **Hoja de respuestas.***

Ahora tienes 30 segundos para leer las preguntas.

PRIMERA NOTICIA

20. Según la audición, en España...
A) el uso de las redes sociales está muy extendido.
B) todo el mundo usa las redes sociales.
C) se usan tanto las redes sociales como en el resto del mundo.

21. En la audición se dice que el éxito de las redes sociales...
A) empezó hace más de una década.
B) se ha visto favorecido por la aparición de nuevos dispositivos.
C) se debe al aumento de la venta de ordenadores.

SEGUNDA NOTICIA

22. Según la audición, en Bogotá...

A) se celebra el día sin coches ni motos.

B) cada vez se usa más el transporte público.

C) está prohibido circular en automóvil el día 22 de septiembre.

23. En la audición se dice que entre los días 20 y 23 de septiembre...

A) hay un congreso sobre energías alternativas.

B) hay programada una marcha cada día.

C) se reunirán en la ciudad personalidades importantes.

TERCERA NOTICIA

24. Según la audición, la tomatina de Buñol...

A) se celebra una vez al año.

B) es una tradición poco conocida.

C) se celebra durante el otoño.

25. En la audición se dice que la población de Buñol...

A) es plurinacional.

B) es de 170 000 habitantes.

C) se duplica durante la tomatina.

PRUEBA DE EXPRESIÓN E INTERACCIÓN ESCRITAS

Esta prueba consta de dos tareas. Debes redactar dos textos.

*Duración: 50 minutos. Redacta los textos en la **Hoja de respuestas.***

TAREA 1

Instrucciones

Una amiga española que has conocido durante unas vacaciones te ha escrito para explicarte cómo es su nuevo instituto y para invitarte a visitar su nueva ciudad. Lee el correo y contéstale.

(GUARDAR)   (RESPONDER)

Hola, ¿cómo estás?

Espero que todo vaya bien por ahí. Ya he empezado las clases en el nuevo instituto y se me hace extraño no conocer a casi nadie. En mi clase hay gente de muchos países, en Bruselas hay muchos extranjeros residiendo temporalmente. Como te digo, aún no he conocido a mucha gente, pero ya tengo dos amigas. Una se llama María y es de Suecia y la otra, Jacqueline, es belga. Son muy simpáticas.

¿Por qué no vienes a visitarme? Seguro que te encanta la ciudad. Es muy bonita y hay muchos lugares interesantes para visitar. Aunque el clima en esta época del año no es muy agradable. Ya me dirás algo.

Un abrazo,

Elena

En tu respuesta, no olvides:
- saludar,
- hablar sobre cómo es tu clase en este curso,
- agradecer la invitación,
- despedirte.

Número de palabras recomendado: **entre 60 y 70.**

TAREA 2

Instrucciones

Elige solo una de las dos opciones que se te ofrecen a continuación:

OPCIÓN 1

En tu instituto quieren conocer la opinión de los estudiantes sobre qué lugar prefieren como destino para el viaje de fin de curso.

Redacta un texto en el que deberás:
- explicar dónde quieres ir,
- comentar por qué crees que es un buen destino para toda la clase,
- hablar de las ventajas e inconvenientes de realizar ese viaje.

OPCIÓN 2

En tu escuela te han pedido una composición sobre un familiar a tu elección.

Redacta un texto en el que cuentes:
- cómo es físicamente esta persona,
- cómo es su carácter,
- qué parentesco tiene contigo,
- por qué lo/la has elegido/a,
- qué es lo que más te gusta de él o ella.

Número de palabras recomendado: **entre 110 y 130.**

PRUEBA DE EXPRESIÓN E INTERACCIÓN ORALES

La prueba de Expresión e interacción orales tiene una duración aproximada de 12 minutos y consta de cuatro tareas:

- *TAREA 1. Describir una foto (1–2 minutos). Debes describir una fotografía, elegida entre dos opciones, siguiendo las pautas que se te dan.*

- *TAREA 2. Dialogar en una situación simulada (2–3 minutos). Debes establecer un diálogo con el examinador siguiendo las instrucciones que te va a dar.*

- *TAREA 3. Presentar un tema (2–3 minutos). Debes hablar sobre un tema que has elegido entre dos opciones.*

- *TAREA 4. Entrevista a partir de la presentación (2–3 minutos). Debes contestar a las preguntas del entrevistador sobre el tema de la presentación.*

Tienes 12 minutos para preparar las tareas 1 y 3. Puedes tomar notas y escribir un esquema de tu exposición, que podrás consultar durante el examen, pero no puedes limitarte a leer el esquema.

TAREA 1. DESCRIPCIÓN DE UNA FOTO (OPCIÓN 1) PRUEBA DE EXPRESIÓN E INTERACCIÓN ORALES

EN LA CLASE

Describe con detalle, durante uno o dos minutos, lo que ves en la foto. Estos son algunos aspectos que puedes comentar:

- ¿Cómo son las personas que aparecen en la fotografía? Describe a alguna de ellas: el físico, el carácter que crees que tiene, la ropa que lleva...

- ¿Dónde están esas personas? ¿Cómo es ese lugar? ¿Qué objetos hay?

- ¿Qué relación crees que tienen esas personas? ¿Por qué?

- ¿Qué crees que están haciendo en este momento? ¿Por qué?

- ¿De qué crees que están hablando? ¿Por qué?

- ¿Qué crees que va a pasar luego? ¿Y más tarde??

TAREA 2. DIÁLOGO EN SITUACIÓN SIMULADA (OPCIÓN 1) PRUEBA DE EXPRESIÓN E INTERACCIÓN ORALES

EN LA CLASE

Vas a hablar con un compañero de clase porque estáis decidiendo qué asignatura de libre elección va a hacer la clase, juegos malabares o cocina. El examinador es tu compañero. Habla con él siguiendo estas indicaciones.

Candidato:

Durante la conversación con tu amigo debes:

- explicarle que los juegos malabares son mucho más divertidos que la cocina,

- explicarle por qué crees que la clase se aburriría en un curso de cocina,

- dar otra opción a las dos posibilidades que os han ofrecido.

TAREA 1. DESCRIPCIÓN DE UNA FOTO (OPCIÓN 2)

EL VOLUNTARIADO

Describe con detalle, durante uno o dos minutos, lo que ves en la foto. Estos son algunos aspectos que puedes comentar:

- ¿Cómo son las personas que aparecen en la fotografía? Describe a alguna de ellas: el físico, el carácter que crees que tiene, la ropa que lleva…
- ¿Dónde están esas personas? ¿Cómo es ese lugar? ¿Qué objetos hay?
- ¿Qué relación crees que tienen esas personas? ¿Por qué?
- ¿Qué crees que están haciendo en este momento? ¿Por qué?
- ¿De qué crees que están hablando? ¿Por qué?
- ¿Qué crees que va a pasar luego? ¿Y más tarde?

TAREA 2. DIÁLOGO EN SITUACIÓN SIMULADA (OPCIÓN 2)

EL VOLUNTARIADO

Un chico te para en la calle para pedirte que te hagas socio de una ONG que quiere construir escuelas en algunos países subsaharianos. El examinador es el chico. Habla con él siguiendo las indicaciones.

Candidato:

Durante la conversación debes:

- interesarte por los proyectos que ya han realizado y los que piensan realizar en un futuro,
- preguntar al chico por qué está colaborando precisamente con esa ONG,
- explicarle que tienes dudas de que tu dinero vaya íntegramente a las personas necesitadas,
- decidir si vas a colaborar o no.

TAREA 3. PRESENTACIÓN DE UN TEMA (OPCIÓN 1)

Instrucciones

A continuación tienes un tema y unas instrucciones para realizar una exposición oral. Tendrás que hablar durante dos o tres minutos. Al final, el examinador te hará unas preguntas sobre el tema.

¿CUÁL ES TU PELÍCULA FAVORITA?

Incluye información sobre:

- cómo se titula,
- por qué te gusta,
- cuál es la trama,
- qué tipo de películas ves habitualmente.

No olvides:

- **diferenciar** las partes de tu exposición: comienzo, desarrollo y final;
- **ordenar** y relacionar bien las ideas;
- **justificar** tus opiniones y sentimientos.

TAREA 4. ENTREVISTA A PARTIR DE LA PRESENTACIÓN (OPCIÓN 1)

¿CUÁL ES TU PELÍCULA FAVORITA?

Modelo de preguntas:

- ¿Te gusta mucho el cine?
- ¿Qué tipo de películas gustan más?
- ¿Tienes algún actor o actriz favoritos? ¿Por qué te gustan?
- ¿Has visto alguna vez alguna película española o de habla hispana? ¿Qué te pareció?
- ¿Prefieres ver las películas en el cine o verlas en casa con la televisión u otros dispositivos?
- ¿Cuál es la última película que has visto? ¿Te gustó? ¿Por qué?

El entrevistador también puede solicitar al candidato que hable sobre algún punto del esquema que se le entregó para la preparación y que no haya abordado.

TAREA 3. PRESENTACIÓN DE UN TEMA (OPCIÓN 2)

Instrucciones

A continuación tienes un tema y unas instrucciones para realizar una exposición oral.
Tendrás que hablar durante dos o tres minutos. Al final, el examinador te hará unas preguntas sobre el tema.

¿CUÁL ES TU PLATO FAVORITO?

Incluye información sobre:

- de dónde es originario ese plato,
- qué ingredientes contiene,
- dónde sueles comerlo: en casa, en un restaurante...,
- quién lo cocina.

No olvides:

- **diferenciar** las partes de tu exposición: comienzo, desarrollo y final;
- **ordenar** y relacionar bien las ideas;
- **justificar** tus opiniones y sentimientos.

TAREA 4. ENTREVISTA A PARTIR DE LA PRESENTACIÓN (OPCIÓN 2)

¿CUÁL ES TU PLATO FAVORITO?

Modelo de preguntas:

- ¿Qué tipo de comida te gusta más?
- ¿Vas mucho a comer a restaurantes? ¿Con quién?
- ¿Qué piensas de la gastronomía de tu país?
- ¿Te gusta cocinar? ¿Qué platos sabes preparar?
- ¿Qué opinas de la gastronomía española? ¿Has probado algún plato típico? ¿Qué te parece?

El entrevistador también puede solicitar al candidato que hable sobre algún punto del esquema que se le entregó para la preparación y que no haya abordado.

AUTOEVALUACIÓN

En este apartado te vamos a informar de cuáles son las pautas de calificación establecidas por el Instituto Cervantes para el nivel A2/B1 escolar, de manera que puedas comprobar tú mismo los resultados que obtienes utilizando los modelos de examen propuestos.

Las pruebas del A2/B1 escolar se dividen en **2 grupos**:

GRUPO 1

Es necesario que la puntuación resultante de la suma de la puntuación de la prueba de Comprensión de lectura y la prueba de Expresión e interacción escritas sea como mínimo de 20 puntos. En caso contrario, no se aprueba el nivel A2/B1 escolar.

- **PRUEBA DE COMPRENSIÓN DE LECTURA**

  Es una prueba de corrección automática. Se pueden obtener como máximo 25 puntos, uno por cada respuesta correcta a los ítems en los que se articula la prueba. Las respuestas incorrectas valen 0 puntos, igual que las no contestadas. No se penalizan las respuestas incorrectas ni las no contestadas.

- **PRUEBA DE EXPRESIÓN E INTERACCIÓN ESCRITAS**

  Es una prueba que se corrige mediante examinadores. Se pueden alcanzar como máximo 25 puntos. En este caso la puntuación se obtiene ponderando las calificaciones de los examinadores, que asignan un valor de 1 a 4, según unas escalas de calificación establecidas, a los textos que el candidato produce. Estas escalas tienen en cuenta los siguientes aspectos: coherencia, corrección, alcance y cumplimiento de la tarea. El nivel 1 significa que no se alcanza el nivel exigido. El nivel 2 significa que el candidato se sitúa en el nivel A2. El nivel 3 significa que el candidato alcanza el nivel B1. El nivel 4 significa que el candidato supera el nivel B1.

  Sin entrar en el detalle de las fórmulas que se usan para obtener la ponderación matemática de las calificaciones, podemos decirte que los ejemplos de producción escrita que proporcionamos en nuestro manual corresponden de manera global a un nivel 3-4, es decir, B1 alto. Tómalos como referencia para autoevaluar lo que has escrito.

GRUPO 2

Es necesario que la puntuación resultante de la suma de la puntuación de la prueba de Comprensión auditiva y la prueba de Expresión e interacción orales sea como mínimo de 20 puntos. En caso contrario, no se aprueba el nivel A2/B1 escolar.

- **PRUEBA DE COMPRENSIÓN AUDITIVA**

  Es una prueba de corrección automática. Se pueden obtener como máximo 25 puntos, uno por cada respuesta correcta a los ítems en los que se articula la prueba. Las respuestas incorrectas valen 0 puntos, igual que las no contestadas. No se penalizan las respuestas incorrectas ni las no contestadas.

- **PRUEBA DE EXPRESIÓN E INTERACCIÓN ORALES**

  Es una prueba que se corrige mediante examinadores. Se pueden alcanzar como máximo 25 puntos. En este caso la puntuación se obtiene ponderando las calificaciones de los examinadores, que asignan un valor de 1 a 4, según unas escalas de calificación establecidas, a los textos que el candidato produce. Estas escalas tienen en cuenta los siguientes aspectos: coherencia, fluidez, corrección y alcance. El nivel 1 significa que no se alcanza el nivel exigido. El nivel 2 significa que el candidato se sitúa en el nivel A2. El nivel 3 significa que el candidato alcanza el nivel B1. El nivel 4 significa que el candidato supera el nivel B1.

Sin entrar en el detalle de las fórmulas que se usan para obtener la ponderación matemática de las calificaciones, podemos decirte que los ejemplos de producción oral que proporcionamos en nuestro manual corresponden de manera global a un nivel 3-4, es decir, B1 alto. Tómalos como referencia para autoevaluar lo que produces. Una buena técnica para autoevaluar tu producción oral en casa puede ser la de grabar tu propia voz, y luego comparar tu intervención con los modelos que proponemos.

¿CUÁL SERÍA MI CALIFICACIÓN TOTAL?

La puntuación total máxima es de 100 puntos (50 puntos para el grupo 1 de pruebas y 50 puntos para el grupo 2). Es necesario obtener al menos 20 puntos en cada uno. Si no llegas al menos a 20 puntos tanto en el grupo 1 como en el grupo 2, no has aprobado el nivel A2/B1 escolar.

Si obtienes entre 20 y 35,99 en los dos grupos de pruebas, alcanzas el nivel A2. Si obtienes entre 36 y 50 puntos en ambos grupos de pruebas, alcanzas el nivel B1. Ten en cuenta que si en uno de los grupos de pruebas obtienes entre 20 y 35,99 puntos y en el otro 36 puntos o más, tu calificación final es la inferior, es decir, A2.

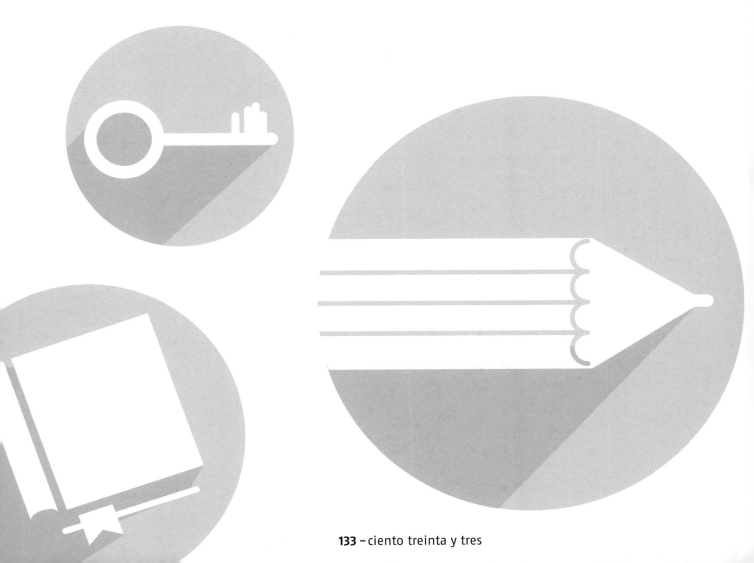

SI QUIERES CONSOLIDAR TU NIVEL, TE RECOMENDAMOS:

LECTURAS GRADUADAS

Los jóvenes argentinos

Los jóvenes españoles

Frida Kahlo. Viva la vida

Che. Geografías del Che

SI QUIERES EMPEZAR CON EL NIVEL B2, TE RECOMENDAMOS:

PREPARACIÓN PARA EL DELE

Las claves del nuevo DELE B2